検証屋家業

岡田篤彦
OKADA ATSUHIKO

IT業界以外の人にも聞いてほしいプロフェッショナル現実論

幻冬舎 MC

検証屋家業

ＩＴ業界以外の人にも聞いてほしい
プロフェッショナル現実論

まえがき

ご挨拶

ただの『雑用』と見るか敬意をもって『大いなる、雑用』と見るか。

私ども株式会社ＳＨＡＤＯは、ソフトウエア検証や品質保証、またマネージメントといった、無形商材を扱っています。そして、似たような業種業態があって、説得商材とも言われていて、一言で語るのが難しい商売でもあります。

ＩＴの世界はよく分からないし、見えてこないから評価しにくい世界。しかし、分かっている人が分かる仕事をする。

現場では、様々な職種のメンバーが１つの目標に向かって邁進しています。ＳＨＡＤＯは特に、その中の『大いなる、雑用』と言われている仕事がかなりを占めます。

この『大いなる、雑用』とはプロジェクトのプロセス内の作業を円滑に行い、プロジェクトを成功に導くためには不可欠な仕事です。しかしそれがあまり認知されず、おざなりにプロジェクトが進んで失敗してしまうことが多いです。

これは『大いなる、雑用』を『雑用』としてしまったために起こっていることでもあります。仕事自体は、紛うことなき『雑用』かもしれませんが、しかし、これがとても大切なことで、人もお金も使って推進しなくてはいけない仕事『大いなる、雑用』であると認識して対峙しなくては、ことをなすことができないのです。

このことを、誰でも気がついているはずなのですが、コミュニケーションがうまくいっていないことが顕在化せず、同じことを繰り返してしまうと思います。

『大いなる、雑用』とは、ＰＭＯ（Project Management Office）の一部であったり、ドキュメントを整備することであったり、またどのようにものづくりを進めるかなど構想を練ったりと、直接見えてこないですが、どれも必要な仕事のことです。本当に雑用と考えられていることも多く、プロジェクトの隙間を埋めていく仕事ならなんでもやるということです。

言ってしまうと、この『大いなる、雑用』は、機械でいうところの潤滑油なのかもしれません。機械製品などの部品一覧には決して登場しないが、なくてはならない潤滑油。

これがＳＨＡＤＯの考える、コミュニケーションだと思っています。

私は数社起業していますが、自社の本質的なコンセプトをこの『潤滑油』であると確信し、過去には社内外に発信していたことがあります。

その連載を読んでいた私をよく知る人にお会いすると、あの連載が読みたい、また、新しく今に合わせて書き直しができないのか、と言われることがありました。

ただ、今はもうデータも残っておらず、自分が書いたものとはいえ簡単にいきません。

しかし、元々は私のプライベートな時間に社員の顔を思いだしながら書いたもの。それであれば、時間も経過したことから当時を思いだして文章化し、更に今の視点で新たに書き起こし、現在の私の思いも乗せて、今の社員向けに復活させたいと思いました。

本書は、マネージメントに携わる人、今働いている人、あと一歩成長したい人に向けてまとめた私からのメッセージです。SHADOという会社が、私のどのような思いから誕生したのかを知ってほしいと考えて執筆しました。

SHADOの社員向けとしていますが、『社員』を『現場で活躍されているエンジニアの皆さん』と置き換えて読んでいただければ、とても嬉しく思います。

中には、管理職になって、どう立ち回るといいかと悩んでいる人にも参考になることがあると思っており、少しでも力になれますと幸いです。

また、これからパートナーとなります皆様には、弊社を知るきっかけになってほしいと思っております。

本書の内容は他愛もない日常の話がほとんど。それを私の『独断と偏見』で文章化しています。

本書を通して、何かを感じ取っていただければ幸いです。

※本文中に『人の和』という表現がありますが、私の思いは『和を以て貴しとなす』と考えており『和』という文字を選択しています。これは孔子の言葉にありますが、私の小学校卒業時の担任が、卒業のお祝いにと『和』という1文字だけの色紙をくばり、これからは『和を以て貴しとなす』と考えて生きていってください、と言われたことから私もそう考えるようになりました。

目次

第1章

人間力

人はそれぞれプライドがあると思います。このプライドという言葉は残念ながらあまりいいイメージで使われないことも多いですね。プライドを持つこと、プライドが高いこと、これは私が考えるにどちらもいいことだと思います。

しかし、特にこの『プライドが高い』という言葉はイメージが悪い。なぜでしょうか。

まず辞書で調べてみましょう。

プライドという言葉の定義を調べてみると、

—誇り

—自尊心

—自負心

—矜持《きょうじ》とあります。

誇りとは、自慢に思うこと、誇ること、得意と思うこと、だそうです。

自尊とは、自ら寛大に構えること、自らを高ぶること、で、自尊心とは、自尊の気持ちということになります。しかし、この自尊心というものも曲者です。別の言い方をすれば、自分の尊厳を意識しそれを主張して他人の干渉を許さないという気持ちや態度ともいえるのです。

自負とは、自分の才能を誇ることですが、これもうぬぼれという反対の表現ととられることもあります。

矜持とは、プライドそのものといった感じで、自分の能力を信じて抱く誇りという意味です。これも、過剰になれば、うぬぼれといえなくもないです。

自分の中ではこの矜持がプライドの正体なのかなと思うこともあります。なるほど。確かに言葉の意味や定義、印象は、裏も表もありますから、イメージが悪くなってしまったり良くなったりする訳です。

ともすれば悪く扱われるプライドという言葉。

私にとってプライドという言葉は、とてもいい言葉だと思っています。言い方を変えれば、私はプライドを高く持ちたいと思っています。なぜかという前に、まずは私が思っているプライドの話をしなくてはいけませんね。

さて、似た言葉に『自信』という言葉もあります。これが出てくると分かりやすいかもしれません。

プライドという言葉に深くダイブしてみましょう。

ネガティブな印象の正体は!?

自信とプライド。似ているようで違う言葉ですね。私は、どちらも必要だと思っています。

しかし、これを明確に切り分けることができる人は少ないのではないかと思います。自信を持っているからプライドがある、ともいえそうです。

言葉には定義があって、そういった意味では明確に分けることができるはずですが、まず、私たちの一般的な感覚として考えてみると、やはりきっちり線を引くのは難しい。悩んでしまって堂々巡りしそうです。

要するに、自分の大切なプライドというものをちゃんと言語化できている人が少ないからではないかと思います。

一方で、意外と当たり前すぎるのかもしれませんね。

『自信』とは、自尊心と自負なのだろうと独断と偏見で思っています。自分が得意なものがあれば、それを揺るぎないものにするための努力をする、そして、自分が人に、迷いなく伝えることができる。これは内容だけではなくて、態度も含めてです。見ていれば安心感もあります。そして、それを自負している、「私は、〇〇の専門家です」と言えるような状態でしょうか。それが『自信』と思っています。

プライドが『高い』、というとネガティブな印象があるのは、この自信とプライドがごちゃ混ぜになっているからではないか、と思っています。

例えば、プライドだけが高い人（そう見える人、立ち振る舞いがそうな人）は敬遠されますよね。というか、もうどの社会でも和に入れてもらえないでしょう。

しかし、ここでプライドが高いと言われているのはひょっとすると『プライド』だけを見て言っているのではないでしょうか。

難しいのは、自分ではそう思っていなくても態度や立ち振る舞いで、プライドだけが高く見える人がいることです。本人は気がついていませんが、周りは、この人はプライドが高い、と見てしまうことはよくあります。

もちろん、このとき使われているプライドという言葉は決していい意味ではありません。

これは自分の『プライド』がにじみ出ているということではなくて、周りが見て感じた『プライド』がそう見えているのだと思います。

つまり、自分のプライドを、他人は同じように見ていないということにもなります。逆に自信を秘めている人、矜持のある人、そして、そのことにプライドがある人は、どうでしょうか。きっとそんな人の立ち振る舞いは、周りに受け入れられるのではないでしょうか。

これは簡単にいうと、プライドが高い人（高く見える人）はプライドが高くて自信がない人、その逆が、自信があることにプライドがある人といえます。

なんとなく、分かってきたような気がしますね。

プライドが悪く思われてしまう原因は、そのプライドの裏付け（自信）のない人が、自身のプライドだけが高く見えてしまうと、あまりいい印象を受けないからではないでしょうか。

私は、ひょっとすると、プライドの正体があるのではなくて、自信や矜持を包むようにプライドが存在する、のではないかと思い始めました。

自信や矜持がない人は、過度に、『人からの評価』や『自分の自尊心を守ること』を気にします。上司や目上の人にはぺこぺこする一方で、部下や同僚にはつっけんどんな対応をしたりします。これは自信のなさの現れではないかと思います。

つまり、見えているのは『プライド』ではなくて、自尊心そのものなのかもしれないですね。

また、人を見下すような態度をとる人は、常に自信のない自分が安心できるように自分より劣る人を見つけることに心血を注ぎます。そうです。自信がないために、自分を大きく見せるために『プライド』だけが前面に出てくるように見えるのです。

しかし、この実態は『プライド』ではないと私は思います。

プライドとは自分が持っている、自信や矜持があり、それを誇ること、だと考えています。

これは話にならないのですが、相手が女性のとき、たとえ上司であっても明らかに態度が違う人、これはプライドとか自信以前、人としての資質を疑われますね。もちろんＳＨＡＤＯにはそんな人はいませんが。

自信や矜持のない人のエゴを見て、プライドが高いから、なんて思う訳ですから、プライドという言葉自体、とても印象が悪いです。

なんてかわいそうなプライド!?

プライドのマイナス面

もう少し、プライドが高く見える人の話をします。

プライドが高い人は、プライドが傷つけられれば怒る、と思いませんか？　プライドが高い訳ですから、当然そうだと考えますよね。しかし、先ほどの話からいくと、実はプライドを傷つけられることよりは、『人からの評価』が下がることを恐れている表れではないでしょうか。

そう考えると、プライドが高いのではなくて、自信や矜持がないことが露見することに我慢ができず、防御本能として怒るのではないかと思います。

このような人を見て、短絡的にプライドを捨てればいいのになぁ、と思ってしまいがちですが、実はプライドを捨てることよりも、もっと自分を磨いて自信を持つことのほうが大切であることが分かります。

自信や矜持があればプライドに傷はつきません。ひょっとすると、プライドが傷ついても、気にならないのかもしれないですね。

自信や矜持がない人は、結局自分自身（自分の価値観）が中心になり、そのエゴを通す行動に出てしまうのではないでしょうか。

その結果、人の評価を常に受け続けなければならず、ちょっとした批判や出来事で傷ついてしまい、怒ったり、高圧的な態度に出たりして相手をコントロールしようとすることが多いように思います。そして、本人はそれに気がつかないのです。それはただの自己満足、自分の承認欲求をただただ満たす行動だと思います。

しかし、そんな防御本能丸だしの行動で得られる効果は一時的なものにしかなりません。またすぐに『プライドが傷つけられる不安』が頭を持ち上げてくるのです。

さて、プライドが高い低い（ように見える）というだけで評価をするには問題があることも分かりました。

その人を簡単に『プライド』だけで判断することも愚かな評価、といえます。

考えてみると、トラブルになった原因がプライドの高さであるなんていう結論など、納得がいきません。

人間はそんなに単純ではないはずです。評価する側も、きちんとこの『プライド』を理解していないといけないでしょう。

受け入れがたい人が出てきたとき、プライドが高い、低いというデジタルな考えしかできなければ、本来の評価ができないということです。もっと相手を尊ぶ気持ちが大切ではないですか？

実際は、自信や矜持ということを絡めて考えてみると、見えてくるのではないでしょうか。

プライドが高く見える人

そう見えるだけで実は自信がなく、いつも人の評価をびくびくして気にしている人。

プライドが低く見える人

物腰も柔らかく、一見プライドがないように見えますが、実は自信を内包し相手を尊重する態度が取れる人。

『プライド』という言葉の意味を探るために深くダイブすると、どうやら、今までの感覚のプライドが高く見える、低く見えるというのは本質的には逆のようですね。

少なくとも私が知っている範囲では、上記のように見えます。

コミュニケーションとプライド

私たちの現場ではコミュニケーションが仕事の半分以上を占めています。チームを作るということもそうですし、仕組みの構築、それの体現はすべて現場でコミュニケーションを中心にチームで行われています。つまり、物理技術も必要ですが、それはコミュニケーションが中心となって駆動します。

会議を行う、One-On-Oneミーティングを行う、というコミュニケーションも大切だと思いますが、『大いなる雑用』の細かいところに入り込む潤滑油としてのコミュニケーションはすごく大切ではないかと思います。

プライドの評価を間違えると、このコミュニケーションを否定してしまう、潤滑油にならない事態になってしまうでしょう。

私は、ソフトウエア検証というのは８割がコミュニケーション、人と人との繋がりだと思っています。そう考えると、このプライドを持って接する、チームとしてプライドを持つ、ということは大切なことだと思っています。

現場で起こる問題のほとんどは人が原因です。

しかし、せっかくプロジェクトという旗の下に集まった訳ですから、それらを受け入れてうまく駆動させることを考えねばなりません。人の好き嫌いや、文化の違いによって排除したりしているうちは、ちゃんとしたプロジェクト運営はできませんね。コミュニケーションをとるとき、いろんなことが起きます。当然、他人同士、分かり合えるまでには時間もかかります。衝突もあります。しかし、こんなことは人が集まるのですから、当然です。

まず、自分がしっかりとしたプライドを持ち、人と接するということが大切なのではないかと思います。

自信を持ったプライドがあれば、多少の衝突や、文化の違いなんか乗り越えられます。

プライドが高い上司だから仕事がやりにくいとか、プライドが高い部下だから指導しにくいなんて言い訳にしか聞こえないですよね。

それは、きっと『プライド』の捉え方が大きく間違えているのだと思います。

自信や矜持とプライドを秘めた人の共通点

きっと心理学的な分析とか、文献をあさればいろんなことが分かると思いますが、ここは私が思う、自信や矜持とプライドを秘めた人はどんな人か、ということを書きたいと思います。

先ほども書きましたが、自信や矜持がある人にはそれに裏付けされたプライドがある、というのがいい状態だと思います。きっとそれこそプライドがある、とかプライドが高いという状態だと思います。そういった人は、他人の評価や意見をベースに話をするのではなく、自分発で本質が話せる人ではないでしょうか。

逆にいうと『プライド』なんてなくて、自信や矜持がしっかりある人から、にじみ出てくるのが『プライド』の正体かもしれないです。

うまくチームを動かしているリーダーは、コミュニケーションも上手です。私がそういったリーダーから感じることは、人の輪の中で自ら自分を高く見せていない、ということです。常に自分が高いところにいるのではなくて、逆にはたから見ると一番下に見えたりもします。

そんなリーダーのチームは、リーダーではなく『チームが光り輝きます』。そして、部下が光り輝きます。周りがリーダーに協力しようという雰囲気が出ます。お神輿を担ぐ（担がせる）のではなくて、周りが自主的に担いでくれて、その上に申し訳なさそうに乗っている、といった感じでしょう。

別の言い方をすると、普段は決してその人からは凄さは感じられないのですが、実は凄いんです、というのを周りが知っている、ギャップのある人、ともいえるのではないでしょうか。

自信をつけたい、持ちたい

自信が必要だな、と私も思う訳です。矜持があればと思います。誇りを持てと思うのです。

しかし、これもなかなか難しいですね。自信を持って何事にも立ち向かえるというのは素晴らしいと思います。自信を持つには、結果を出すときの何倍もの努力が必要です。

例えば、本番に備えて練習するということもそうでしょう。資格を取るために勉強する、これもそうですね。

勉強や練習でできるようになってもそれ以上は本番ではできませんね。しかし、練習、勉強の先にしか自分のスキルを上げる方法はありません。

特にＩＴ業界は、広い知識、専門性の高い知識が求められています。日々アンテナを張って広く知識を広げつつ、自分の専門とする分野、好きな分野、得意な分野を深掘りしていきましょう。すると橋を横から見たような、橋の通路部分（広く広げた知識）を、橋脚（深掘りした知識）が支えるブリッジ構造になっていきます。この構造ができると、すごく自信がつきます。

ところが、一度ついた自信やプライドは簡単に傷つき失ってしまうことがあります。それは、１つ何かを成し遂げると、次に見えてくるものが変わり、それで今の自信が、あっという間に揺らいでしまうのだと思います。

これは皆さん経験しているのではないでしょうか。自信に満ち溢れていれば、毎日楽しいでしょうね。逆に自信がなければ、ちょっとしたことでネガティブになってしまって、前向きに考えることができなくなってしまいます。自信や矜持を持ちたい、と人が願うのはこうした理由からではないでしょうか。そのために努力することも大切なのかもしれません。

ここで少し今の話を振り返ってみましょう。

練習をすると少し自信がつきます。プライドも上がりますね。たくさん時間をかけて、真剣に練習や準備を行うと不思議と自信はみなぎってきます。

でも、そんなことが自信や矜持なのでしょうか。

確かに、事前に練習や、準備をすることで、スキルがある程度向上します。しかし、自信を持てた、となるのは、結局自分自身が決めているのではないですか？

真実はいつも自分の中にあります。自信を持つのも失うのも、そう思う自分の心ではないでしょうか。つまり、自信やプライドを持つも失うもすべて自分次第ということでしょう。

持つべきものはやはりプライド

どんなことにも諦めず、立ち向かっていける人は、自分の自信や矜持に裏付けられたプライドを持っていると思いませんか？

諦めない。それはプライドを持っているからできるのだと思います。

自分の限界を決めるのは自分自身です。今できないから、と言い訳する人は一生できるはずがありません。「今は自信がないので……」という人で、時間が経って自信がついたのでできます、といった人は生涯一度も見たことがありません。

その限界は、自分が決めているのです。そして、それは自信や矜持もなくプライドもない状態だと思います。

プライドは人間関係を構築する上では大切な要素だな、と思っています。それは自信や矜持の裏付けがあればこそです。コミュニケーションは大変難しいものですが、このプライドを持って人と接するというのは大切ではないでしょうか。

相手の立場を慮《おもんぱか》り、そして、和を作っていけることは、プライドが高い人だからこそできると思います。本当の意味でプライドが高ければ、どんなことにも動じず、そして自分自身をしっかり持ち続けることができるはずです。謙虚になる、素直になる、人を受け入れることができる人は、きっと『高いプライド』が心に宿っている、と思いたい。

実はプライドなんて傷つこうが否定されようが関係ない、自分の中に、自信、矜持、誇りがあれば、表に見えるプライドはどうでもいいのかもしれないです。

私も、そんなプライドが持てる人になりたいと思っています。

コミュニケーションの基本は『共感力』

私は、コミュニケーションを行うための基本は、共感力にあると思っています。共感力は、相手がどう思っているかを観察し、そして心の状況を想像できること、ですね。

共感力が高いと、コミュニケーションをとる相手や周りの人の、状況、心情、または今の心情と行動の差を推し量ることができ、そうなることで人間関係が良好になっていくのだと思います。まさに、『人と和を作る』ことができる第一歩だと思っています。

コミュニケーションをとるということは、共感することが第一歩であり、共感できたり共感してもらえるような環境を構築できたりしなければ、『和』を作ることができないのではないでしょうか。

仕事に置き換えてみましょう。

上司は部下と共感できるような『環境づくり』を考えなければいけません。立場の違いがあることから、心情的に共感を得るには大変な努力が必要です。

部下は、上司に共感してもらうための努力が必要です。上司が今必要としていることは何か、上司に今求められていることは何かと、想像する感性を磨く必要があります。

これがうまくいかない。同じ会社の人同士でうまくいかないんです。ある意味、会社の同僚と共感するだけでいいのですが、これが難しい。この共感することが足りずコミュニケーションに失敗していることがトラブルのもとであることが多いです。お客様と仕事をしているときは、更にハードルが上がります。社内のトラブルなんて小さな話に思えるでしょう。

お客様と仕事をする際は、こちらがすべて考えて行動しなければならないはずです。当然といえば当然ですが、お客様に何かをしてもらうことを待つのではなく、こちらから先に行動しなくてはいけません。それは、お客様との共感できる『場』を、自分たちがどれだけ作れるかが肝になるからです。対上司以上に想像力を駆使し、共感を得なければ、お客様、社会に必要とされる存在にはなりません。

お客様の立場からすれば、わざわざお金を払って来てもらっている人たちに対して、共感する必要などないですよね。こちらからお客様のニーズを掴み、または想像して、共感してもらえることを考えるのは重要な仕事です。

共感を得る。または共感するというのはコミュニケーションの基本ですが、それを体現することは大変難しいと思っています。

まずは隣の人の共感を得ることを考えてみましょう。

同じ会社で同じ仕事をしている人が社内にはたくさんいますが、自分とはスタートラインも違いますし、役割も違います。自分と違うから、と不満を言う人がいますが、それは共感力のない話。コミュニケーションを放棄していることになります。

しかし、あるキーワードがそれを解決してくれるのではないでしょうか。

『相手を尊重し、敬う気持ち』

この気持ちがあれば、共感が生まれてくるのです。自分から共感しよう、共感してもらおうと考え、構想しなければ、生まれてこないものです。

もし、誰にも共感してもらえないなら、相手に対する自分の気持ちを自問してください。問題は外にはないのです。自分の中にこそ問題が眠っているはずです。謙虚に、そして、最後には『成功』を同僚や上司、そしてお客様と共感できるようにしましょう。

２つの共感力

英語がネイティブな知人から聞いた話です。

英語では、共感は『Sympathy』。これはまさに共感するということです。一般的には『Sympathy』と使う場合、気持ちが移入するくらいの共感として使われるそうです。相手が笑っていれば一緒に笑ってあげる、泣いていれば一緒に泣いてあげる、そのくらいの深度で共感することを『Sympathy』といいます。

しかし、英語にはもう１つ『Empathy』という単語があります。これは仮に相手の状況や気持ちに深く共感できなかったり、意見が異なったりしたとしても、相手の気持ちを察して共感してあげるというものだそうです。

共感してもらうことも共感することも大切ですが、常に『Sympathy』とはならないはずですね。また、立場が違えば、すべて共感できないことだってたくさんあります。

しかし、この2つの共感があると認識して、共感できるか、できないかの単純に二者択一ではなく、もっと人間味溢れる共感力を身に付ける必要があると思います。

前提条件として、同じ人はいない、という当たり前のことを思いださないといけないですね。仕事ができる、○○の技術が高い、○○の専門家、などなど、社内でも様々な人がいますが、画一的に判断せず、共感できるポイントはどこかを探らなければならないと思いませんか？

ではどうしたら共感力を身に付けることができるのでしょうか。

ズバリこれは、自分でトレーニングする必要があると思います。

共感力のトレーニング

コミュニケーション力を上げようとしてトレーニングするには、共感力をつけなければいけないと思います。

しかし、相手を尊重し、敬うという気持ちがなければトレーニング自体が意味をなさないものです。なぜなら、トレーニングは所詮物理技術だからです。上辺だけ行動しよう、練習して身に付けようとだけして本質に迫らなければ、共感力はつきません。テクニックだけではダメということですね。

何事もこうしたい、こうなりたいという『動機』が大切だ、ということです。できないのであれば、まずはできるように努力しましょう。努力することは人間に与えられた能力であり、それが可能性を広げるはずです。

人間は、脳でものごとを考え、そして行動します。であればその脳を鍛えなければトレーニングにはならないですね。

昨今、脳を鍛えるというと、いろいろな書籍やゲームが発売されています。それくらい関心が高いということでしょうか。

脳の構造から考えると、ある行動ができるようになるには脳の中にその『モデル』が出来上がらなければならない、と私は思っています。言語や運動それぞれに専門の部位があり、そこを集中的にトレーニングすることで『できる』ようになるといわれています。スポーツも同じこと。その動きができるようになるまで一生懸命繰り返しトレーニングする訳ですね。

ではコミュニケーションの入り口、共感力を鍛えるにはどこを鍛えるのでしょうか。

前頭眼窩野《ぜんとうがんかや》を鍛える

脳にはたくさんの機能があり、部位があります。

前頭眼窩野という部位があり、そこが脳のコミュニケーションをつかさどる部位といわれています。名前から想像できるように、目のすぐ後ろにある部位です。簡単に説明すると、コミュニケーションする相手の表情や行動から、どんな心情であるかを想像する部位です。

この前頭眼窩野は、25歳まではほうっておいても成長します。しかし、一般的に25歳を過ぎると急速に衰えだすそうです。また、一般的に女性は前頭眼窩野の能力が高いといわれています。相手の心情を掴んだりする力がもともと強いといわれています。その逆で男性は前頭眼窩野の動きが女性に比べて劣っていて、そしてそれに気がつかないそうです。私もこの事実を知って、自分が苦手としていること、共感力が、そもそも、結構頑張らないといけないことだと、認識したのです。

もちろんこれは一般的にこういう傾向があるということで、女性でも苦手な人もいますし、男性でも得意な人がいるはずです。しかし、腑に落ちる人も多いのではないでしょうか。

さて、この前頭眼窩野を鍛えると共感力が強化されそうですね。

前頭眼窩野のトレーニングとして多用されているのは心理学的なアプローチであるカウンセリングの手法が用いられるそうです。

私は専門家ではないのですが、簡単な方法としては、自分の意見をなるべく言わずに、一旦は『相手の話を聞く』というのがいいそうです。そうすることで、話し相手がこちらに共感を抱き、信頼関係の第一歩が踏み出せます。

また、相手にどうしても共感してほしい、という場合は、相手の動作や話すスピードなどに、こちらの動作も合わせることが有効だそうです。これは、相手の鏡のように雰囲気を合わせて対峙するだけで、相手の共感度合いが高くなるためのようですね。

逆に、こちらのペースにもっていきたい場合は、スピードを上げたり語気を強くしたりすることで、効果が期待できます。

よく営業がこのようなテクニックを教育されることがあります。

営業のクロージングの部分は大変難しいのですが、そこのやり取りでうまくお客様と時を共有して契約していただく、というときに、共感できるような環境を作り上げるようです。

とはいえ、これもケースバイケースで、このテクニックですべてうまくいくかというとそんなことはありません。テクニックはテクニックなんですよね。

またテクニックは人に合う合わないということもあります。そうなるとこれが成功のパターンだっていうのは人によって違うと思っています。

特に共感を得るという場合は、最初は形を試してみるということは大変いいことだと思います。しかし、実際には、大切なことは動機です。共感したいと思うことから始めなければいけません。

しかし、日常的にそれを意識してトレーニングしていくのは大変なことです。

ではどうしたらいいでしょうか。

人と会って話をする

実は簡単なことで共感力とコミュニケーション力を鍛えることができます。

それは、直接人と会って話をする、ということ。

とても簡単ですが、これを行わなければ前頭眼窩野があっという間に衰えてしまうそうです!

多種多様なコミュニケーションツールが使える昨今、一番大切なことは、直接人と会って話をすることで、それができなければ前頭眼窩野が衰えて、正常なコミュニケーションもできなくなってきてしまうらしいです。

耳の痛い人、いませんか?

今は、初めましてから、仕事が終わるまで、一度も会わずに終わる場合も多いです。これは数年前には考えられないことでした。

最近皆さん名刺の減り方が変わったと思いませんか？　そうです、人と会っていないのです。

仮に会えないとしても、オンライン会議でカメラを通して、お互いの表情を確認しながら話をすることは意外と大切なことなんだなと思っています。

オンライン会議でカメラのＯＮ、ＯＦＦは個人に委ねられている場合が多いですが、顔を見ながら会話する、ということをしなければ、前頭眼窩野を鍛えるのはかなり難しいと思います。特にエンジニアリングの仕事をしていると、致命的なことになるのではないかと危惧しています。

できれば、顔を見ながらお話ししたいものですが、この顔を見ながら会話をする、というのが前頭眼窩野を鍛えて、共感力アップにもなりそうなのです。

トレーニングと思うと味気ないですが、共感力のトレーニングは難しいことではなくて『人の顔を見て会話をする』ということです。

共感とは思いやり

1人で仕事を行うことはまれです。たとえ仕事を1人で行っていても、最終的には社会と繋がるのが仕事ですね。チームや組織は、目の前の人、コト、モノ、これすべて社会に繋がるための入口でもあります。

たくさんの人と一緒の目標に向けて歩んでいくのが仕事。しかし、たくさんの人ということはたくさんの個性でもあります。お互いを認め尊重しなければ、共感はできません。共感できるような環境でなければ、仕事は成功しないといえます。

仕事を成功させるのは、技術やお金ではなく、また、会社の規模でもありません。一番大切で、そして成功への原動力となるのは、そこにいる『人の心』であることを忘れないでほしいと思います。

共感力をつけるテクニックも大切ですが、動機はどうなっていますか？　知る努力と知ってもらう努力どちらも大切なことです。

共感することは『思いやり』

共感とは、『思いやり』とも言えそうです。そうすると、共感力は、思いやり力でもあると考えます。

共感してもらいたい！という気持ちばかりが前に出ると、いくら相手に共感しても、理解は得られないでしょう。

まずは相手に共感する『思いやり』から始めるといいです。

最後まで自分に共感してもらえないかもしれませんが、これは相手によります。何度も根気よく対峙することもいいでしょう。しかし、まずは自分が変わる、自分が共感できるようになるということが大切。

『思いやり』を持って接するとき、思いやりを持ってこちらにも接してほしいと思います。しかし、それは相手のあること。すべてそうなるとは限りません。共感してもらえないかもしれません。

しかし自分が変わって、一貫した態度でいること、共感しようと努力することが大切です。そうしなければ、自分の気持ちがつらくなって共感しようという気持ちが壊れてしまいます。

共感力で行動が変わる

すべて分からなくても相手に共感する。これは何もすごく困っている人を見て湧き出る感情ではないと思います。

共感力は、日々仕事をしている中で、これは○○の立場の人は大変そうだとか、こうすると全員もっと簡単に作業ができるだろうとか、いろんなアイデアのもとになる力だと思います。

自分自身の身近なことに気がつくことは多いと思います。それは工夫という形で実現化されているのだと思います。共感力があれば、更に同僚や、上司、そしてお客様にとってこれがいいんじゃないか、試してみたい、と思うことが増えてくるでしょう。このきっかけは共感することから始まるのだと思っています。

共感してみよう、と思って行動すると、次第に周りから変わったと評価され始めるでしょう。それは、行動するきっかけに共感力が追加されているからです。

誰が見てもいい行動として評価されるでしょう。これ、やっていることは変わらないのに、評価がすごく変わってきます。なぜでしょうか？

ＳＨＡＤＯで働いている皆さんは、日々業務に追われながらも、もっと良くしたい、もっと自分も成長したい、もっと同僚も良くなってほしいと思っている、実際にそうなるように行動しています。動機は『良くしたい、みんなが良くなればいい』という大変尊い思いから現れた行動です。

動機がいいものはすべていい、と、ついつい思いがちですね。いやここまでの文章を読んで、何が悪いのか？　もし悪いところがあるのなら教えてほしい、どこも悪くないと思うでしょう。

そうです、動機はとても良くて素晴らしい。

しかしその行動に移したことを、『上司が共感』してくれましたか？　組織で働く、社会人として働くというのは、こういう部分で共感を取り付ける必要があります。

動機がいいからどんどん行動する、というのは見る人によっては、越権行為、暴走、独断専行……いい言葉では表現されません。

これは良くない行動と指導されたとき、でもいいことなのに……と反発することもあるでしょうが、その組織の共感を得られていない行動は、自分に閉じた行動、『自己満足の自分勝手』としか、評価されないということなのです。

『ほうれんそう』というモデル

ほうれんそう（報告、連絡、相談）しましょうと教わります。最近はざっそう（雑談、相談）というものも登場しています。

一見すると、ほうれんそうは画一的で、面倒くさいことかもしれません。慣れないと忘れてしまうこともあります。しかし、これほど簡単に共感してもらえる場を作れる仕組みは他にありません。

ほうれんそうは、一方的に発信者が何かを報告したり情報を伝達したりすることのようにも思えますが、しかし、これは上手に活用すると、自分の考えに共感してもらうきっかけを作る、便利なツールであると思っています。先人の知恵という言葉がありますが、このほうれんそうは、まさに先人の知恵なんでしょうね。

守破離《しゅはり》という言葉があります。まずは、教わったことをしっかり守り、トレースするように実践してみよう、行動してみようというのが守。

まずは、守破離の守から始めてみましょう。繰り返し、癖になり、新しい習慣ができるまで、ほうれんそうを続けてみましょう。すると、あるときから、周りの人からのあなたの評価が驚くほど変わってきます。

それは、共感力がついたということでしょう。

自分だけでは意味がありません。ほうれんそうをどんどん伝染させていき、共感力を身に付けた、共感し合える『仲間』を作っていきましょう。

１人で成し遂げられることは微々たるものです、共感する『仲間』を手に入れたときに、自分の立っている場所が変わったように、ものの見え方が変わってくるのです。共感し合いましょう。

行動が他人を動かす

誰でもできる、いや、すでにやっている。しかし……

「あの人は行動力があるね」

「彼にはリーダーとしての行動力を発揮してほしい」

「リーダーシップの１つの要素は行動力である」

皆さんの周りでも『行動力』という言葉は一般的ですね。

さて、字を読むと『行動する力』と書いてあります。

『行動力がある』……格好いいですね。イメージは大変いいです。しかし、行動力がある以前に『行動』とはどういうことでしょうか。

『行動』には、『あること を行うこと。行為。ふるまい。』という意味もありますが、『何らかの目的のために積極的にことを行うこと。』という意味もあります。『行動力』の『行動』とは後者の意味ですね。

行動という言葉には、組織を牽引していったり、その振る舞いで他の人にも影響を与えたりすることも含まれるでしょう。自分発の行動は、時には人の気持ちも動かすのです。

行動のスケールを広げる

さて、人の行動とは何が決めているのでしょうか。

まずは、その人の意思ですね。あれ？　ひょっとして誰かに動かされているなんてないですよね⁇

その行動のスケールというかスコープというか、バリエーションというか……そういったものを決めているのはなんでしょうか？

「やつの行動は想像を超える」

「思いもよらない行動に出る」

なんて言葉、たまに聞きますよね。

自分の思ってもいない行動や、自分よりできる人の行動はスケール感が違います。これはなぜでしょうか。

大きな原因は、経験の違いでしょう。経験。そして知識の違いではないでしょうか。そう考えると、どうでしょうか。人は自分の経験と知識以上の行動はとれないということでしょうね。

行動力をつけるためには、『経験すること』と、『知識を得ること』、この2つが不可欠であるということになります。

ですから、行動力をつけるために『とにかく行動』、『考える前に行動』なんて思っている人も多いですが、その行動が結果に結びつかなければ、「考えなし」とか、「動く前にちゃんと考えなさい」と言われるだけになります。

結局、行動に移してもその行動が効果のないものになってしまうのは、やはり狭い視野での行動となってしまうからでしょう。仕事をするには、行動することが不可欠です。しかし、その行動を何が決めているか、と考えることで、自分の行動力を伸ばすことができるのではないでしょうか。

評価は行動だけでは決まらない

さて、知識を得て、経験を積んでいけば、行動力がついていい仕事ができるのでしょうか。

いいえ、私はそう思いません。

「頭でっかちだなぁ～」

「理屈っぽいなぁ」

「話が長くて聞いていて疲れる!!」

「なんでも自分が正論で正しいと思っている」

「指摘すると自分が正しいと強い態度に出るからうざい」

「気分屋で一緒に仕事がしにくい……」

どうでしょうか。このような方いませんか？　正直、検証の仕事をするのには向いているようには見えませんね。

また、自分に自信があって経験がある人に多いのが、「そんなこともできないのか！」、「どうしてこんなことができないんだ!!」といった態度。

人それぞれ、今まで経験してきたこと、見聞きしてきたことは違います。そして、スタートラインもベースとなる知識も違います。そう考えると、こんなセリフを吐ける人、そんな態度がとれる人とはとても仕事ができる訳はありません。自分の狭い世界から出てこようとせず、自分のお花畑から出てこられない人、成長の伸びしろが見えない人といえるでしょう。

これ、知識や経験だけに頼った人が陥りがちです。そして、残念ながら（大したことない）技術者に大変多いのも事実です。

プロジェクトを見てみましょう。マネージメントやリーディングも必要ですし、技術も必要です。もちろんそれ以外の要素も。しかし、大切なことを忘れているような気がします。

プロジェクトや会社の仕事というのは、人と人とが関わってできているのです。ということはコミュニケーションがきちんと取れていなければいけません。これはつまり、『知識・経験に基づく行動』だけでは、うまくいかないということになるのではないでしょうか。

人の気持ちが人を動かす

知識や経験ばかりを気にしてしまうと、相手の気持ちを察することなんてできないでしょうね。

「俺の言うことが正しい。いや、俺は経験しているんだから黙って言うことを聞け」なんて思っている人はいませんか？

この字面だけを見ると、そんな酷いことをよく言えるなと思うでしょうが、ちょっと待ってください。気がついていないだけで自分がそういう立ち振る舞いをしていませんか？

最近、驚くことがありました。

「リーダーのミッションはなんですか？」と質問したところ、「リーダーのミッションは部下に、〝言うことを聞いてもらう、言い聞かせる〟こと」と答えた人がいました。

リーダーは、『部下が働きやすい環境を作る』のであって、決して何かを強制することが仕事ではないはずです。

もちろん仕事ですから、強制しなければならないことはたくさんあります。しかし常に強制していると、考えない組織が出来上がり、リーダーへの中央集権型の良くない組織が出来上がり、人がいつまでも育たないということになってしまいます。

それどころか、「俺はリーダー（上司）なのだから言うこと聞いてりゃいいんだ」なんて考えを持っている人には誰もついてこないでしょう。常にそういった強制力を中心とした行動はメンバーの心が離れてしまって、きちんとしたチームにはなっていないでしょう。

これが何を表しているかというと、『行動はできているようだが、仕事はできない』という状態でしょう。教科書が仕事を進める訳ではなくて、人の気持ちが仕事を動かすのです。そして、人の気持ちを動かすのは、やはり人の気持ちです。

人はどうしても知識とか経験といった、目の前に見えるものから答え探しをしたくなるものです。これは当然といえば当然。人間の本能かもしれない。明確になっているものが正と考えるのは、仕方がないことです。人を騙すときにこれはよく用いられます。

ちゃんと言語化されていると、それが正しく見えてしまう。しかし、それは答えを見つけたのではなくて、その人の独りよがりの思いであったりする訳です。誰かにとって都合がいいだけ。

人が集まって仕事をしている以上、答えはその場で作り上げるものではないでしょうか。その場で答えを作り上げるには、お互いの信頼関係や共感、コミュニケーションが必要になると思います。

正解はないのです。そのときその場所で、その人たちと最適解を定義するのです。ネットを探しても、手段しか出てこないですよね。あれ？　もしかして回答を見つけたと思っていますか？　いえいえ、回答ではなくて手段、テクニック、でしかありません。そこに血を通わせないと、人も物も動かないのです。

テクニックがあるとすれば、強制する伝え方をしない、ネガティブな表現をしない、やってはいけないことだけを伝えないということです。人はポジティブのほうが好きなんです。ですから、ネガディブをそのまま伝えては心が動かず血が通わないのです。

上司は立場ではなく、人柄も

リーダーだって先輩だって、いきなりできた訳ではないはずです。苦労したことがあるはずです。知識や経験を得るために努力して苦労したことを忘れてしまって、今の自分の目線でしか人と接することができないのであれば、それは、無駄な知識と経験です。

兎にも角にも、人間力（人間性）。相手と共感し合える関係を築けることが重要です。

行動∧知識・経験∧人間力

こうなると魅力的ですね。

こんなモデルになるのは、知識や経験に行動を頼っている限りは完成しないでしょう。

しかし、技術者は往々にして、行動∧人間力∧知識・経験、となってしまいます。

こんな技術者はたくさんいますが、早くこれに気がつく必要があります。

後者のモデルを見ると、ものすごく頭でっかちですね。先ほど技術者はこういう人がたくさんいますと書きましたが控えめに言ってそうだということで、実はそんな人たちの集団であることが多いのです。

相手が技術を持っていないから、（だから）仕事ができないから、おっとりしているから、なんてことで、上から目線になっていませんか？　逆に言えば、技術が高くて、てきぱきできればいいのでしょうか。何か忘れていませんか？

皆さんには、行動∧知識・経験∧人間力、こうあってほしいと願っています。

先ほど、技術者には多いと書きましたが、理由があります。目の前に明確な技術的な解決方法が存在し、それが目の前の仕事を解決し、推進しているのを目の当たりにしているからなんです。

しかし、それは目の前の話。俯瞰で見るとどうでしょうか。ＩＴといったって、所詮人の脳が生みだした、まやかしかもしれない、あやかしかもしれない、アートかもしれない、まだまだモヤッとしたものなのです。早くこれに気がつかないと、ある日突然、詰んでしまうのです。

自分が当たり前だと思うことを押し付け、常に、相手の共感を得る訳ではなく、感情を表に出してしまう。誰にとって必要な人なんでしょう。誰がそんな人を評価し、ましてや、その人のために動こう、働こうと思うでしょうか。

人間力を発揮するには、すごいトレーニングが必要かというとそうでもないのです。今、この瞬間、考え方を変えるだけです。そして行動を変えましょう。いらいらして、なんでできないんだ、って言うのが一番幼く、人から見て必要とされない人だと思います。

どう見られているのかは、とても大切です。

人の目なんか気にしなくてもいいいって言う人がいますが、がむしゃらに努力する姿を隠そうとする必要がないことを、人の目なんか気にするなと言うのだと思っています。

人からどう見えようが、どう評価されようが関係ない、という意味ではないと思います。

世の中、人の評価があなたの評価なんですよ。そう考えたら人目を気にするのは当たり前。

上司の機嫌をとるなんて言葉がありますが、これは違います。それこそ無駄なことなんですよ。

逆なんです。自分は部下からの話は、上司からの話を聞くのと同じように聞かなくてはいけないと思っています。そう思えば、つたない説明であっても聞く耳を持つことができ、部下は説明の練習にもなりますし、聞いている自分は、部下の思いや、正しいことも間違えていることもよく理解できるようになる訳です。話をよく聞いて、分かるように伝える。感情を出さず、相手の立場にも理解を示す、これが大切です。

もし、部下があなたに過度に気を使っているとしたら、あなたは上司失格。人間力のかけらもないです。気をつけないと、知識・経験からの行動を正解だと信じてしまいます。これは可視化されているために、誰もがそう思いがちなのです。

しかし、明確に可視化、言語化されていないところに、説明できないが違和感があり、不快感があるのです。そこが大切。

『人は死んだとき残るのは、その人が集めたものでなく、その人が与えたものが残る』といいます。

技術や経験、知識は貴方が集めたものです。しかし、共感したり、コミュニケーションで築き上げたりしたものは、貴方の人間としての力で、誰かに与えたものではないでしょうか。最後は技術でも行動でもなく、その人が築き上げた人柄を含めた『人間力』だと私は信じています。

第2章

いい仕事の作り方

仕事を生みだす

好きなことを仕事にすると、仕事が嫌になったら好きなことと仕事との両方を失う。自分のやりたいことを仕事としてできれば幸せですね。やりたいようにやってみたい。一度はそんなことを考えるのではないでしょうか。

実際は自分のロールが変わり、ステークホルダーが増えると、自分の好きなようにできなくなってくると思います。

自由に仕事をするなんて夢かぁ。

しかし、本当にそうでしょうか。私は違うと思います。

「この仕事はこうやらなくてはいけない」、「この人がいないとできない」、「自由にやっていいと言われているが、自由にならない」……なんていう言葉。これらって自分で決めてしまっていますよね。

皆さんの周りにもいませんか？　自由にいかないことの不満しか出てこない人。自由にするためには、自分から進んで調整をしたり、ステークホルダーと合意をしたりする必要があります。

ステークホルダーにはもちろん、お客様も含まれます。例えば、そのお客様から「大変そうだな」なんて思われているうちは自由な環境も作れていないでしょうし、そんなことは夢のまた夢です。

仕事は作るもの

ＳＨＡＤＯの仕事は多岐にわたります。テストを行うことだけが仕事ではありません。テストや開発だけでなく、プロジェクト全体の『大いなる雑用』も生業としています。

よく上流からという話がありますが、それを『テストの設計から』くらいに思っている人も多いです。しかし、テストの品質を上げることではなく、作り上げるソフトウエアの品質を上げることが我々のミッションです。

いやもう少しいうと、お客様がそれによって利益を得られるように一緒に努力することが、最終ミッションではないでしょうか。

私たちが上流と呼んでいるのは、プロジェクトが立ち上がる前の工程であり、現実としてプロジェクトの立ち上げから関わることがとても多いです。もちろんそのときはテストの話なんて出ません。『どうしたらこのプロジェクトがうまく進むのか』、『どう考えると思ったものが出来上がるか』といったことから始まります。当然『何人を時給いくらで』なんていう話が出るはずもありません。

上流工程は雲の上のこと、なんて思ってはいませんか。もしそう思うのであれば、まだまだ修行が足りませんね！

もちろんそんな仕事が簡単にあるか？といえば、それは自分たちで作るしかありません。

ある小説に「この街で問題を抱えていないのは、独身のオスの野良猫くらいだ」というセリフがあります。独身の野良猫に話を聞いたことはありませんが、しかし、問題がないことが世間にあるかといえばないということでしょう。

問題が必ずあると同様に、準備というものも十分ではないことが当たり前ではないでしょうか。準備が十分というのは、見たことがありません。

生きていくためには前提条件や、制限は当たり前なのです。それをもって自由ではないと考えているうちは、本当のプロフェッショナルではありません。トラブルがあるから仕事がある。『Trouble Is My Business』なのです。

自由の出所

上流から仕事を行う場合、例えば私が呼ばれた場合でも、いったい何をこれから始めるかということをお客様と一緒に考えることから始めます。

そうなんですよ。お客様と自分との仕事を一緒に考えるんです。これからどうするか、今から始まるプロジェクトではどのようにゴールを目指し到達するかを考える訳です。

これって、自由なのではないでしょうか。どんどん提案できるのです。実現できることもできないかもしれないことも提案しますし、いいと思ったものは積極的に提案します。

根本は、プロジェクトがうまくいくように、お客様のビジネスが成功するように、です。

そして忘れてはいけないのは、お客様の利益が語れなければ、どんな素晴らしい提案でも聞いていただけないということです。ましてや自分の利益しか考えられない人は、お客様との関係を築き上げることはできません。

お客様と一緒にプロジェクトのゴールを目指し進む。これこそが仕事の醍醐味。

そして、そこでは自由な発想が求められます。

では、そのような自由な発想はどこから湧いてくるのでしょうか。

「こんなことできる人は少ない」

「特別な人間しかできない」

「少なくとも自分のスキルではできない」

そんな声が聞こえてきますが、本当にそうでしょうか。

初めに書きましたが、『できない』というのは誰かに決められるのではありません。自分が決めてしまうのです。

私は、この仕事の進め方はあることにとても似ていると思っています。そして、それに気がついてからは、とても仕事を楽しんでいます。それが何かということが結構ヒントになるかもしれませんね。

仕事に遊ぶ

皆さん子どもの頃を思いだしてください。毎日学校から帰って来るとランドセルを玄関において、すぐに家を飛びだして、公園や広場で友達と遊んだ記憶はないでしょうか。

私が子どもの頃はファミコンなんてもちろん登場前ですから、外で遊ぶしかありませんでした。よく、公園で遊びましたが、公園の遊具なんてすぐに飽きてしまいます。それに、集まった人数が多ければ一緒に遊ぶのは難しい。それに何より毎日集まる顔ぶれが違うんです。クラスも学年も性別も違います。でも、与えられた環境で、全員が楽しむために誰からともなく声がかかります。

「みんな、今日は何して遊ぶ!?」

そうするとみんなからいろんな遊びのネタが出ます。このときがわくわくしましたね。

そして、全員で何かして遊ぶ。夕方になると1人減り2人減り、とだんだん人が減っていきます。そうすると今度は人数が減ってもできるように、誰かが遊びのルールを変えて遊べるようにする。これの繰り返しでした。

しかし振り返ってみると、これはプロジェクトの立ち上げからゴールまでのマネージメントと似ていませんか。

これは会社の経営にも当てはまると思っています。

もちろん、私が「何して遊ぶ？」なんてお客様に話す訳ではないですが、感覚が大きく変わるものではないと思っています。

当然、仕事ですから考えることは山のようにあります。問題も山積みです。しかし、自分の気持ちが自由でなければ新しい発想なんて出てくるはずがありません。そして、自由な仕事はこんな発想から出てくるのではないかと、最近思い始めています。

誰かが整備したルールに乗るのは楽なんです。作られたルールを逸脱していなければ、問題なく仕事ができます。何も問題ないですが、しかし、所詮他人が作ったもの。次第に『不満』が出ます。そうです、自ら自由を捨てているのですから。

新しいことは常に大変ですし、苦労もします。不満しか言わない人からサンドバッグにされることも多いでしょう。見えている景色が違うのです、それは当然と受け止めましょう。

自分が進めたい方向へ進めようとしても誰も手を貸してくれないかもしれません。

変だと思いながら、頭を下げなければならないこともあります。

ただ、その世界に飛び込もうと決めたとき、自分の心が自由になります。

自由な発想の人は、細かいことはどうでもよくなります。自由を手にするというのは誇りを持つということなのかもしれません。確固たる誇りやプライドがあるから生まれてくる信念が自由を謳歌する燃料なのかもしれませんね。

発想を変えましょう。自ら決めて飛び込んでみましょう。

さぁ皆さん、今日は何して遊びますか？

心と仕事のボーダーレス化

ボーダーレス（Borderless）というと、理想の世界、国境のない世界などといったときによく使われます。最近では、社会的な境界がないという意味でも用いられるようになってきました。

私は、このボーダーレスという言葉、安易に線を引かないことを指した言葉だと思っています。

今、世の中には何かカテゴリー分けをせず、『誰でも』とか『どこでも』なんていうジャンルのものが増えてきていますね。例えば時計。まあ、男物、女物との区分けはあります。業界では男持ち、女持ちといったりしますが、最近は男女どちらでも使えるようにデザインされたものが増えました。

つまり、南北、東西とか、そもそも線引きすること自体、無駄なことが多いということではないでしょうか。

当然理由があるものもあります。自動車で寒冷地特別仕様といったものはそうですね。ただ、これは区別するといったことや、カテゴリーを分けるといったことではなく、どちらかといえば専門性を持たせるとか、事情がある場合にとられる対応だと思います。

ところが人はともかく線を引きたくなるものです。分類したくなる。

国もそうですね。国境があります。人もそうです。線を引いたり、区別したりする必要があるものは当然あります。役割といったものはそうですね。

しかし、安易に線を引くことは、その線の外側と内側で大きな軋轢を生みだすのではないでしょうか。

残念ながら、国と国との間では戦争を起こすことがあります。人と人との間にはとかく争いごとが存在します。理念や言葉が違うだけでもお互いを排除しようとしてしまう。人間は本来、それがいけないと分かっていながら、その感覚から脱却できずにいるのではないかと、最近感じています。

私はボーダーレスの商品が登場している背景に、線引きをしつつも否定しているという、矛盾した思いから出てきているものがあるのではないかと感じています。インターネットの普及や、移動手段の多様化に伴って、情報の量は圧倒的に増えています。

また仕事も、どこでやるか、どこにいる人とやるか、といったスコープは、もう近場で、とか、東京で、日本国内で、などと決め付ける理由はないのです。そこに行かなければならないことは実は少なくて、もっと整理すると効率的にものごとを進めることができるということも分かってきました。

これじゃないとできない、という発想に縛られている場合じゃないですよね。発想を根本的に考え直さなければなりません。

特にＩＴは電子化されたデータを取り扱いますので、距離も時間も関係ありません。産業革命が印刷という技術を生みだし、大量の情報を保存し、伝達できるようになりました。しかし、そこまでは大変な時間がかかっています。人間はその環境に慣れる時間があったともいえますね。

人の『心』も技術と一緒に成長するチャンスがあったということです。

しかし、デジタルデータが生まれ、劣化しない情報を瞬時にどこにでも伝達できるようになりましたが、この変化は、たった数十年というあっという間の出来事です。人間はそれほど器用ではありません。そんな環境の激変に成長が追いつかず、どうしても昔の感覚が幅をきかせてしまいます。成長できていないから、ついつい線を引いてしまうのです。これはレッテル貼りともいえるかもしれません。

今、大きく世界は変わってきていると思います。

技術は人間が生みだしたものですから技術は問題ないでしょう。今後も。

問題になるのは、『心』です。それがあるから藻掻いているともいえるでしょう。

ボーダーレスな世界は、もう待ってくれないのです。

人間の『心』はなかなか成長しませんが、環境は激変しています。世界が小さくなったといえるほど、移動手段も通信手段も発達してしまいました。

よく、頭では理解できているのだが……と言う人がいますが、ことが『心』の問題であると認識していなくては、永遠に問題がどこにあるのか分からないでしょう。知識や経験だけがすべてを解決できる訳でもなく、一番大切なことを置き去りにしては何も解決ができないということを、そういう人は考え直してほしいと思います。

SHADOは簡単にいえば、検証をベースにした、『技術』の会社だともいえます。しかし、SHADOの技術は、物理技術、コスト、コミュニケーションと定義しています。特にコミュニケーションとコストが追加されていることを今一度、考えてほしいと思います。

コミュニケーションとは技術だけではありません。人を慮る気持ちがなければ、それは誰にも受け入れてもらえないでしょう。

コストは、冷たい金額の話ではありません。

人が動けば、コストがかかります。かかるコストは必要なもの。しかし、要望とコストとが合わないこともしばしばあります。そこに、調整とか提案といったことが求められるのは、そこに『心』という要因があるからに他なりません。

この仕事を1ヶ月でお願いします、と言われたとき、とても1ヶ月では無理です、できません、と言うのは相手を全く考えていない返事ではないでしょうか。では1ヶ月ではこういったことが考えられます、という提案をすることが相手の『心』を慮ったコストの話だと思っています。

お客様も、私たちも、共に損をする必要はありません。まさにWin-Winの関係でなくてはいけません。

お客様の要望は、いったいどんな背景があるのだろうかと考えを巡らせる必要があるのではないですか？　『ここから先は、お客様の都合』と変な線を引いていないでしょうか。お客様の『心』を考えることができれば、そんな変な線を引く必要はないのではないでしょうか。

「誰々がそう言っていました」。よく聞く台詞ですがこれも、大変無責任な話ですね。なぜそう言っていたのか、その人の『心』を考えて話を聞いていたのなら、決してそんな言い方はできないでしょう。

目的を同じくする人は周りにたくさんいます。会社の同僚かもしれないですし、お客様かもしれないです。このコミュニケーションの中心にあると思われる、心の部分はとても大切だと思っています。

周りを見てみましょう。ビジネスに心の問題が入るのか？と思っている人もいるでしょう。

しかし、人の評価っていうのは、簡単に数値化できないものですね。そうなると、人の評価っていうのは心が判断する、評価するのではないでしょうか。

昔は、人、もの、金といいました。しかし、これを続けていくためには、行動した評価、というものがないと、続かないのではないでしょうか。

なかなか会社の経営とは難しいものです。サービスを提供して、お金を頂く。どう評価されたか、人から見るとどのように見えているかという部分は結果だからという人も多いでしょう。金額のように数値化できないからでしょうね。しかし、これはすごく重要です。

どんな仕事でも、続けるということが一番難しい。収益を上げ続けるなんてもっと難しい。これは永遠のテーマかもしれないです。

しかし、先に評価ありきという考えを持つことは重要です。それは心が自由になっていないと、目が曇って気づかないでしょう。

変な線を引いてしまう、レッテルを貼る、自分のことと捉えられない……。自分で自分を縛ってしまっては、ボーダーレスの世界に、ついていけないでしょう。

世の中ボーダーレス。お客様とボーダーレスの関係を築くこと、そこから人の革新が始まるかもしれません。

デジタルに心を寄せて

最近、なんでもネットワークに繋がります。そしてやり取りするデータはデジタルデータですね。

固定電話はアナログデータ（というか音声信号ですかね）でしたが、今やバックはＩＰ網になっているので、結局はデジタルデータです。

デジタル信号はコンピュータで処理がしやすい、というかＣＰＵ自体がデジタル処理ですから当然といえば当然です。

人類が誕生して、デジタルデータを手に入れるまでにずいぶんの時間が経っています。それまでは、やっとアナログデータを世界中に伝達できて、それが洗練されて人々の生活に馴染むまで、ずいぶん時間がかかっています。

しかし、デジタルデータは手に入れるまでに時間がかかりますが、普及までにはそんなに時間がかかっていません。１００年経っていないんですよね。

つまりは、私たちはひょっとするとこのデジタルデータをうまく使っていない、いや、本質や可能性に気がついていないかもしれません。デジタルデータを扱うには、まだまだ成長が必要なのかもしれない、と私は思っています。

さて、デジタルデータは、簡単にいうと、０（ゼロ）と1。つまり、電気的に『ＯＮ』か『ＯＦＦ』ということです。分かりやすいですね。これはもちろんＣＰＵ、コンピュータの世界での話。

私たちは社会生活を営む上で、『はい・ＹＥＳ』と『いいえ・ＮＯ』の判断をします。しかし、人の気持ちはそのようなデジタルではありません。最終的に「はい」か「いいえ」としたとき、もしかしたらいたたまれなく「いいえ」なのかもしれないですし、「はい」なのかもしれません。最終的に判断をしたのだから、それがその人の正解かというと、そうではありませんね。

以前書きましたが、人は共感する力がなければ分かり合うことができないのです。『はい』と『いいえ』の世界、デジタルの世界では共感なんてありえませんね。人を思う心というのは、その間の中間部分を理解し、まさに共感してあげることではないでしょうか。

特に立場が変わると、この気遣いは必要になります。

お客様の発言は、お客様の立場があって発言されています。ですから、本来そう思わずとも逆の発言をすることがあります。これは、やはり立場とか現状を見ないと、どうして出てきた発言かが理解できません。

部下と接する場合、部下に対して発した言葉は、「上司として指示された」と思われることは容易に想像できます。部下が「はい」と言っても、それは立場を考えて「はい」と言っていることのほうが多いのです。本意ではないということです。

しかし、ものごとをそう考えられない人は、その人の気持ち、苦しみながら「はい」と言わなくてはいけない気持ちを理解できず、そのような人の気持ちが分からないでしょう。

上司は人の何倍もその気持ちを察する力が求められると思います。

何かあれば言ってくるはずだ、と言っている人はいませんか？　何かあってからでは遅いことがあります。ものごとを、いや、人の気持ちを『YES』と『NO』でしか考えられない人は、人のことも理解できませんし、自分のことも理解してもらえないでしょう。それは兎にも角にも、人間はデジタルではないからですね。

人間はデジタルではないと書きましたが、実はデジタルの世界も正確にはデジタルではありません。『ON』と『OFF』とその間をどうするか。しきい値（境界となる値）を上回ったら『ON』、しきい値以下になったら『OFF』なんて取り決めがあります。これだと、なんだかデジタルですね。しかし、ものごとにはのりしろ、要するに余白があるのです。

昔、私の知り合いにとても優秀な技術者がいました。考え方自体がデジタル。『YES』と『NO』しかない人でした。

あるとき、組み込みの仕事をしましたが、彼が組むプログラムは、どうしても装置を壊してしまいます。一度はポンプのバルブを3つも壊しました。なぜか。彼は人間も世の中もデジタルな考えで、森羅万象、なんでもデジタルで表現できて、それが正しいと思っていたようです。

まずは装置を壊してしまう件。装置をステッピングモーター（パルス信号に同期して回転角度、回転速度を正確に制御できるモーター）というもので制御していたのですが、彼は『ON』と『OFF』の制御しかしていませんでした。

ご存知のようにメカニカルなものには、『遊び』があります。ところが彼は全くそのことを考慮に入れずにソフトを組んでいました。それがクレームになると今度は、そんな遊びのある装置がいけないと言いだして上司を困らせました。

次にポンプのバルブを壊してしまう件。水がタンクに一定の量が入ったら電磁弁を制御して、バルブを閉めて水を止める。一見簡単な制御ですが、彼がソフトを組むと壊れてしまう。

現場を見に行きましたが、すぐに理由が分かりました。

彼は、センサーから水がいっぱいになったと信号が入ってきたらOFFにしてバルブを閉じ、その逆の信号が入ってきたらONにしてタンクに水を入れると制御していました。ところが水がいっぱいになったというセンサーは、丸いフロートについて水面に浮いていて水深が上がると分かるという仕掛けでした。

バルブが開いて水が入ると水面が揺れます。水面が揺れながら、満タンのラインに近くなると、センサーからはいっぱいになったという信号と、まだ満タンではないという信号とが次々とくることになります。それをソフトでデジタルに処理をしていました。当然、そんな使い方をされたバルブはたまりません。あっという間に故障します。

部品を壊すだけでしたら問題は簡単、叱られて、交換をすれば問題ありません。しかし、こんなことを人の接し方としてやってしまったらどうでしょうか。

人は会社にとって財産です。壊れたからといって交換する訳にはいきません。

その同僚はどうなったかというと、その数年後に会社を辞めてしまったそうです。40歳近くになっても考え方が変わらなかったようで、その会社でも部下を持たせず1人の仕事をさせていましたが、本人の希望でプロジェクトを1つ持ったそうです。開始1ヶ月目で部下が逃げてしまい、時を同じくしてお客様から大クレーム。結局そのプロジェクトは終了し、本人は悟ったのか自分から身を引いたそうです。

これは私たちも反面教師として考えなくてはいけないことだと思います。しかし、人のSHADOの皆さんは、人と和を作って仕事をしていると思います。

和はこのような考えではできません。一見できているようで、ばらばらのチームしかできません。

こんなことを繰り返しても、いい仕事ができる訳がありません。仕事を終わらせることはできても、成功は一生できないでしょう。そう、人の本質が分かっていなければ、人と一緒に行う仕事はできないからです。

そしてどんなに技術が高くても、ＳＨＡＤＯが考える検証の仕事はできません。なぜなら、どんなに素晴らしいソフトウエアでも商品でも、ミスを犯すのはアナログな人間だからです。

検証は、あらゆる技術を用い、そしてその技術の生みだす過程をプロファイリングして行うもの。人はともすると、デジタルな考え方になってしまうことがあります。しかし、そんなときは、自分の周りを見つめてほしいと思います。

森羅万象は、決してデジタルではありません。

余白こそ、大切です。

第3章
心の契約

仕事に必要な目線

誰かが作ったものにあれやこれやと意見を言うだけの人。嫌いですね。

自分では意見を言っているつもりでしょうが、なんにも生みだしていないのです。

自分からは何も生みださず、人が生みだしたものを批評するのは簡単なことです。

「今回は、自分はその役割ではないから……」

そんなことは関係ないはずですね。生みだすことができない人はそういった言い訳をよくします。それも、自分ではそのことに気がついていない。

SHADOでは、お客様とはWin-Winである、と考えていますが、こんなことを言う人はどんなに頑張ってもWin-Winにはなりませんね。評論家はいらないという話を時々社内ではしますが、まさにこういったことを指します。

よく打ち合わせに手ぶらで来る人がいますが、ナンセンスです。なんでもいいのでアウトプットを持って来るべきでしょう。自分が発表するのではなくてもそういったことをする必要はあるのではないかと思います。ましてや、人が生みだしたものを、ただああだ、こうだ言うのは愚の骨頂、情けないったらありゃしない。

どんな状態であれ、何もないところから生みだされたものは、尊いものだと思います。人を批判することが仕事ではありません。しかし、人を批判することを、意見することであり仕事であると勘違いしている人も多いです。

もし自身がそう思っていないのであっても、そのような行動は、周りからは（悪い意味で）評論家だなといった評価を受けるだけです。それでは、仲間の輪に入れないことにもなるでしょう。

仲間と同じ景色を見ていますか？

プロジェクトや会社といった大きな景色のことではありません。目の前の会議、全員で向いている方向と自分の目線は合っているでしょうか。

とても感覚的な話ですが、目線を上下にしかできない人と水平展開できる人がいますね。

まず、上下にしかできない人。自分の基準で人を上下にしか見られない人。何かにつけて、上から目線の人はそうです。簡単にいうと偉いかそうでないか、といった感じでしょうか。

水平展開ができる人は、役割で接することができます。バランス感覚でしょうか。広い目線で接しますので上下なんて単純な見方はしません。

態度が作る人間関係

すべてのことは興味がなければ始まらないのではないかと思います。何かを聞いて、俄然興味が湧いて調べる人と、そのままスルーする人。見ていて分かりますね。

スルーする人は、きっとチャンスを与えていても、気がつかずスルーなんでしょう。普段からそんな感じだと、だんだんチャンスすら与えられなくなると思います。

興味がないと思えるような態度をとったら、二度とその人には情報が行かなくなるでしょう。う〜ん、って困ったら困った顔、嬉しかったら嬉しい顔、機嫌が悪ければ機嫌が悪い顔。よくいうと人間的ですが、周りの人はどう思うでしょうか。

困った顔をしている人に相談に来る訳がありません。話しかけにくい顔をしていれば、声をかけてこないでしょう。

人からどう見えるか、その人の立ち振る舞いが、その人の価値を半減したり、また輝かせたりすることもあります。ましてやその態度が周りを不愉快にしているとしたら。それ、とても評価を落としていますよ。

常にいい人に思われたいということと勘違いされる人もいると思いますが、いえいえ、人を不愉快にしない、そういう雰囲気、そして評価を受けるようにしましょう、ということです。この評価が低いと、もう二度とチャンスが巡ってきません。そういう人は実感がないと思いますが。

自分の心積もりとして、どのように立ち振る舞うかということは大変大事なことです。

柔軟にというのは大変難しいですが、しかし、一本調子ではいけないということです。

自分と周囲、両方の目線を常に考えて行動することが大切ではないでしょうか。

人から信頼されるには、信頼に足る態度、そして実績が必要です。それにも増して大切なことは、自分が人を信用することです。

話が合わないとか、理解できないことが理解できないとか。これは全部自分に合わせようとするからこうなってしまいます。時にはスピードを上げて接する、あるときは膝をついて、目線を合わせる。柔軟にということはこういうことだと思います。

よく、あいつは態度が悪いと言われる人、自分で気がついていない人も多いですが、周りはよく見ています。そういう人は、ただただ評価を下げて損をするばかりです。自分の好きにするんだ、はいいのですが、周りからの評価を下げると好きなことなんてできなくなります。

疑うべきは人ではなく行動

検証とは、因果な仕事かもしれません。トラブルがなければ仕事がありません。それに、疑うことが仕事です。

しかし、この疑うことは決して、人に向けてはいけません。一緒に仕事をしてお互い信頼し合う関係を作ることが一番大切です。疑うのは人ではありません。疑うべきは、人の行為、行動です。

人は完全ではありません。ですから、行為を疑うのが検証の仕事でしょう。しかし、人は疑いません。人は信用するものです。

ついつい、誰が悪い、という犯人探しをしたくなります。実際人が起こしているので、そうなりますが、そういう考え方からいいことが生まれるでしょうか？

いいものを作るために疑うのは結構。しかし、犯人を探す、これは全くなんにも寄与しないと思います。人を信用し、しかし、その行為は疑う。罪を憎んで人を憎まずの精神ですね。

Win-Winの関係は、ちょっとした態度や、目線のおき方、立ち振る舞いが欠けていれば、入り口から難しいと思います。

しかし、まずは自信を持って接する、部下には変に上から目線で接しないなど、自分をどうやって演出するかということは大切な要素だと思います。

マネージャーがバタバタしていては、みんなが不安になりますね。

今、自分は、周りから信頼を得るような行動がとれているでしょうか。

さあ、立ち振る舞いから変えてみましょう。

できない＝チャンス

よく、自分は○○ができていないと落ち込んでいる人いますよね。○○ができない、できていない。だから落ち込む。これはおかしいです。

なぜ減点法なんでしょうかね。できていない。結構じゃないですか。できることが何もないのですかね？　いやいや、できることがなければ、生きていけないでしょう。何かあるはずです。

私は35歳で車の免許を取りました。ということは、それまで周りの人は、私のできないことができていたということです。そして、しばらくして、私もできるようになった。

そう、できるようになろうと行動すると、できるもんです。できること、才能は千差万別。あるんですよ、皆さんにも。

だから、何かが足りない、できないことで落ち込んではいけません。できない、と考えるのではなくて、できるようになりたいことが見つかったのですから、その瞬間は幸せなんですよ、実際。

目的も、目標もない人生はつまらないでしょ。

まあそれでいいというのもその人の人生ですから、全く否定しませんし、それを見下すようなこともありません。ただ、何もしないということを、自分が選択していると意識してほしいと思います。

さて、このできていないという感覚、人間が潜在的に持っている感覚なんですね。

聖書にこんな話があります。ぶどう園の話。

あるぶどう園の経営者が、アルバイトを探しに朝市場に行きます。すると、仕事を求めてたくさん人がいたので、その場にいた人たちを雇い、ぶどう園で働いてもらいます。１日の日当は１万円（あ、これは分かりやすくですから聖書には１万円とは書いていません）。

さて、午後、ぶどう園の経営者は、買い物のために市場に行きます。すると、仕事にありつけなかった人たちがまだいました。そこで、その経営者はその人たちを雇います。日当１万円。

すると、朝から働いている人たちが文句を言いだしました。午後から働いた人が１万円なら、朝から働いていた自分たちはそれ以上もらえるはずなのに、１万円に減っている、と。まあ、そうでしょうね。同じ金額ですから。

しかし、これ、ちょっと考えると、別に朝から働いている人のお金が減った訳ではないのです。ところが、人と比較して減少したように感じる。しかし、１万円は１万円。

これ契約の話でもあるので確かに不公平ですが、１万円が減ったと感じるところが人間の不完全なところですよね。

このように、まじめな人が、何か壁に当たったとき、なんでできないんだ、自分は何かが足りないと思う訳です。

何か苦手なものが出てきたとき、できるようになったら、さぞかしいいだろうな～と思わないと、勿体ないと思いませんか？

改善点＋改善案で指導

足りないという感覚や伝え方は、私もとても注意しています。部下を持つ人は、これはとても大切なバランス感覚だと思います。

あなたにとって、部下はまだ発展途上。これができていません、足りません、ということを伝えることは必要です。誰もがそのことに気がつくかというと、そうではないからです。ですから、本人が気づくまで、できていませんよ、足りませんよって伝え続ける必要があります。気がつくまで繰り返し繰り返し。

しかし、注意しないと、部下に対して、おまえはこれが足りていないという指導『だけ』をしてしまいます。少し成長が見えたら、できれば、これが足りないではなく、これを追加したらどうだと説明するほうが部下は伸びます。

部下が書いてきたドキュメントをレビューするときも、同じ。抜けていると指摘するよりは、できているところはできていると認め、これを追加すると更に良くなるということを説明すると分かりやすいですし、俄然部下のやる気が湧きます。足りていない、できていないと言っているだけでは、うまく伝わらないどころか、誰も意見を求めない、頼らない存在になるでしょう。

自分の周りに、部下もお客様もいない人、そんな風に立ち振る舞ってはいないでしょうか？　皆さんが、仕事に向かうときも同じように考えてはどうでしょうか。自分ができないことを見つけてそれを克服することで、新しいことができるようになります。

しかし、今できることをおろそかにしてはいけません。自分のできることを当たり前に繰り返しできるようにしておく、そして自分の苦手を克服するように努力する、そのバランス感覚が大切だと思います。

決して、できないことができるようになること『だけ』が仕事ではないですね。あなたに何かが足りないのではないんです。ただ、追加すればもっと良くなることがあるだけです。それだけ。

私は、フランスの小説家、ロマン・ロランの言葉をいつも忘れないようにしています。

『英雄とは自分のできることをした人だ。凡人はそのできることをしないで、できもしないことばかり望んでいる』

まずはできることを精一杯、できないのであれば、まずは目の前のものに精一杯チャレンジすることが大切です。

会社をいくつか経営してみて

私が経営者として関わった会社は4社あります。うち2社は今でも経営に携わっています。

人との出会いがあり、そして、その輪が広がると喜びもひとしおです。

さて、人は苦手を克服したとき、満足感とか、今まで感じたことがない感覚を得ます。見える景色も変わっていきます。これは、実際に経験した人しか味わえない感覚です。これを私は社員に伝えたくて一生懸命指導していたことがあります。

組織も人も若い場合は、苦手を減らしていくべき、そう今でも思います。

しかし、長年、人や組織を見ていると、今は、『できることがある人は、別に苦手なことを頑張ることはないかな』と考え方が変わってきています。

最後と思ってＳＨＡＤＯを起業しましたが、コアとして集まってくれた人は、皆さんどこかで部下になってくれた人ばかりで感謝しかないのですが、その顔ぶれを見たとき、もうできることだけ尖ってくださいという言葉が自然と出てきました。中には教育が得意な人間もいて、新しく入ってきた若い人たちに教育もしてくれています。

まだまだ可能性がたくさんある若い人にはチャンスをどんどん渡すべきだと思います。

若い経験の浅い人は、苦手なものしかない状態だと思いますが、若い人たちにはチャンスとして、苦手なものも頑張ってもらいたい、と思っています。

人は成長します。もちろん成長を望まなければ、成長しませんが。

『他人と比較して、他人が自分より優れていたとしてもそれは恥ではない。しかし、去年の自分より今年の自分が優れていないのは立派な恥だ』

私はラポックのこの言葉が大好きです。

今、この瞬間、何かが足りないことを嘆くことはやめましょう。意味がありません。

身近な言葉によるバッドコミュニケーション

あぁ勘違い。

分かっているつもりですが、間違っていること、勘違いしていることはたくさんありますね。言葉の定義や意味を間違えていて、お互いに意思の疎通ができないこともあります。

しかし、これはビジネスのやり取りではとてもまずい。特に理念であるとか方針といった、ともするとぼんやりしたことは勘違いがあると確実に伝わりません。勘違いしているかどうかも、気にしていなければそれに気づかず、無駄な行為を繰り返すだけになってしまいます。それでは、まともなコミュニケーションは図れませんね！

では、よく間違う、身近な言葉を並べてみましょう。

「伝えました」というと、何々を言いましたとなりますが、これを伝えましたというのは間違っています。相手の表情や、雰囲気をちゃんと確認しましたか？　伝えた、ということは、伝わったということが大切です。部下に言ったので大丈夫なんて上司はいないと思いますが、伝わったかどうかは常に気にする必要はあります。言葉は単なる音です。音を発しただけで伝えたとはいえないですね。

それは相手があってのことだということが、分かっていなければいけません。メンバーとリーダーができる人とでは、伝え方も違ってきます。

自分で考えてもらうことは必要ですが、自分の部下には、分かりやすく、最終的に伝わったことを確認することが必要だと思っています。

言い方を変えると、伝えたい内容は相手の腹に落ちましたか、ということ。ただし、単純にすべて納得してもらう必要があるかというとそうではないです。すべて納得せずとも、理解して、腹に落ちるというのが大切だと思っています。

分からないのなら『質問』をすることがあると思います。ちょっと聞けばいいのにということはたくさんあります。

しかし、聞くということは聞かれることでもあるのです。自分で何も調べもせず、安易に聞くことは失礼。自分で何を聞きたいのか、ちゃんと分かってから質問をすべきでしょう。何が分からないのか、何のために知りたいのか、などが分かっていない状態で質問をするべきではありません。

ただ、そもそも、分かっていないのですから、自分で追い込みすぎてはかえって無駄ですね。力加減は難しいですが、目の前のことだけを聞くのではなく、この質問のゴールを自分で明確にして聞くということは大切なことです。

質問をうまく使ってコミュニケーションを図るのも、いいことではないでしょうか。

よく、「できません」という言葉を簡単に言う人いますよね。ものごとは大体ですが、求める品質、期間、コストで、可能な範囲が決まります。それ、本当にできないんでしょうか？　きっとお願いした人は、そんな答えを聞きたい訳ではないですよね。できないのでしたら、できるようにするのが仕事です。プロでしたら、安易にできませんという言葉を使うこと自体問題ではないでしょうか。

お仕事を頂くとき、簡単にできることでしたら、わざわざ私たちにお客様は相談する訳がありません。どうしたらできるのか、それを考え提案するのが仕事、プロ意識の元だと思います。

もちろん、工数やコストを無視して、できますというのは全くの愚の骨頂。コストが超過するのであればコスト内でできることを提案するのがプロです。できれば、必要なコストと、どうすればもっと良くなるかを提案できるのが本当のプロです。

できませんという言葉は大変危険な言葉だと思っています。できませんという言葉が口から出た瞬間に、新しいことを考えなくなり、そして、自分の中でできないことが決定してしまうからです。

つまり、自分の限界を決めてしまい可能性を狭くしてしまう言葉が、できません、という言葉です。提案のときそんな言葉が出ることが良くないことな訳ですね。

『提案』とは、これをやってほしいとのご要望に対して、その範囲でできないこと、または自分のコストを無視して提示することではありません。

お客様は提案してほしいのです。今、お客様が頭の中に思い描いている範囲を考えて提示しても、それはお客様が欲しい提案ではありません。せめて、お客様が考えようもない、違う提案をしてほしいですね。

SHADOのサービスは、第三者が現場に行って作業をすることではないのです。プロジェクトの中で、常に第三者としての立ち位置と、それに伴ったプロジェクトの利益を代弁する立場です。

本来の提案は、ステークホルダーが考えている範囲ではいけません。

想定範囲以上のことを提案する、話をするというのは難しいと思いがちです。想定外の提案をしようと思ったとき、当たり前ですが、想定内はすべて抽出できる能力が求められるからです。

しかし、基本はお客様が考えている想定内をまとめること、そして、それができるようになると、想定以上、それは考えていなかったと言われる提案ができます。

ところが「いや、自分は考えているんです」という人もいます。これは無駄です。こんなことを言う前に計画して実行しましょう。

今やろうと思った、そんな思い付きを評価できるでしょうか。明確になっているのがベストですが、せめて結果が出るように行動が伴っていなければ意味がありません。行動が伴うことで可視化されている『考えています』、という表現と、ただ、いつ聞いても、考えています、では全然意味が違います。

もちろん、考えることは必要ですが、いつ実行に移すのでしょうか？ 考えています、やろうと思った、という発言は、意味がありません。プロでしたら使うべきではありません。

何々があれば、自分でもできます。という『変な前提条件』を持ちだす人がいます。一見すると前提条件を述べて、その範囲でなら可能である、と説明しているようでもあります。

しかし、これもよく勘違いしているのを見かけます。○○だったら、○○が揃っていたら自分でもできますというのは、それはできないということです。その前提条件は妥当でしょうか。ひょっとして、自分のエゴや我がままではないでしょうか。

中には、今のリーダーがいなければ自分でもできる、誰々がいなければできる、なんてことを思っている人がいますが、お粗末です。和を以て貴しとなす、というのが私たちのプロジェクト遂行の基本ではないですか？

前提条件を述べる人は、その前提条件を自分で解決できるくらいの実力をつけてから言わなければ、周りやステークホルダーは、あなたの実力が伴っていないことを簡単に見抜いていますよ、ばれていますよ、あなた。

人をダメと言い蹴落とすことを考えるのではなく『ライバルと競争』しなくてはいけません。ライバルと切磋琢磨し、そして、腕を磨くことは大切です。健全な競争はお互いを高めます。しかし、うまくいかなければ、人をうらやみ、妬むことになるでしょう。逆も良くないですね。慢心してしまいます。

競争はいいことです。ただ、競争するということは、ライバルと自分を比較してその差を評価することではないと思います。ライバルとの競争が、いつしかライバルとの差の評価になっていませんか？　それは本来のライバルではないと思います。

また、一方的にライバルだと思うのも良くないことがあります。それは、ライバルというのは実力が拮抗していて初めて成り立つものだからです。

自分の足元を見つめて、できることを整理してみましょう。身のほど知らずでした……となるのは恥ずかしいだけで済みますが、自分のレベルの評価を間違うと、自分の成長を遠回りさせてしまいます。

そう考えると、最初のライバルは、昨日の自分なのかもしれませんね。自分と人とを比べることは、無意味な劣等感とつまらない優越感しか生まれないことを忘れないようにしましょう。

「想定外だ」と感じたことはありませんか。

そのとき、それは本当に想定外だったのでしょうか。自分の視野が狭いために、それが突飛に見えているとは考えられませんか？

想定外だと思うことの多くは、自分の想像力の欠如、情報の収集が足りなかったことによるのではないでしょうか。想定外だ、と思っていることにはちゃんと理由があって、それを自分が理解していないだけではないでしょうか。

実際、日常生活や社会人生活で、想定外なことなんてほとんどないんです。そう考えると、自分がいかに狭い範囲でものごとを判断しているかが分かると思います。

想定外なんてあってはいけないのです。想定外だ!!という一言で片付けるのではなくて、どうして自分はそれを想定外だと感じるのかを考える習慣をつけるべきでしょう。

想定外だ、と思った時点で、考えることをやめてしまいます。これは、できません、と言っているのと何も変わらないのです。想定できていなかったのか？という評価を受けることにしかなりません。

『ここだけの話』なんてこともあります。しかし、そういうアプローチはありません。『ここだけの話』として口をつぐんでしまうのは、故意に問題を隠蔽しているだけです。

部下の『ここだけの話』を、良かれと思って会社に伝えず自分が飲み込む。一見、部下に配慮して部下の不利なことを会社に伝えないことで、部下を守ったように見えます。しかしこれは、故意に問題を隠蔽しただけです。

もちろん、上司に問題を伝えないことも隠蔽です。問題を隠蔽した訳ですから、顕在化したときは、会社はその部下も上司も守ることができません。本当に部下のことを思っているのであれば、会社に報告し適切に対応する必要があります。

それは、自分が問題を抱えている場合も同じ。向かい合って、ちゃんと対応しましょう。

もう一度書きますが、会社やプロジェクトといった組織に属している以上、ここだけの話や、問題が発覚してから実は……という話はありません。社会人として、これはないと認識しましょう。

さて、よく間違う、身近な言葉を並べてみましたが、自分の認識と違うものはありませんでしたか？

言葉の認識のせいで、すれ違いや行き違いがないように、人はたくさんのコミュニケーションを必要とします。

さあ、会って話をしましょう。

責任と行動

日本で責任を取るというと、腹を切る！なんてことになってしまいがちです。

最近は企業の不祥事も多く、会社の幹部が頭を下げる光景は、珍しくなくなってしまいました。そうなるのが仕方のないこともあります。会社であれば株主が納得するように、誰かが腹を切る必要が出てくるでしょう。

しかし、責任とは、それだけではないはずです。責任を取って辞めますって、逆に無責任な話ではないですか？　格好つけていますが、逃げているだけですよね。やりきらなければ責任を取ったことにはならないと思っています。

プロたるもの、最終結果に責任を持つことは当然でしょう。自分のポジションが上がれば上がるほど、その影響範囲が広く深くなっていきます。

そうなると責任という意味合いはどんどん変化していきます。責任ってどれだけ広がっていくのかなと考えると、ちょっと怖くなります。

責任なんて言葉を考えると、自分の生活には関係ないような気がしますが、例えば、何かを選ぶ行為は責任を持つという行為ではないでしょうか。

ラーメンかチャーハンか。これ選んでいますよね？　だからその結果は自分にも責任があるという訳です。

責任を取りたくないから適当に生活していきたい、といっても、責任が発生しないということはなくて、それを選択する訳ですから責任が発生します。世の中に、責任を取らなくていいことなんて何一つないんですよ。

無責任な行為に誰もが憤りを感じるのは、根底にそういった責任が存在するんだということを多かれ少なかれ社会は認識しているんだ、ということだと思います。

自分で選択しておきながら、責任を果たさない人も多いですね。自分では前に出たくない、だからいつも誰かの後ろ。でもそれを選択しているのは自分です。もちろん、そんな人が高い評価を受けるはずはありません。

身近なところでは、これを読んでいるＳＨＡＤＯ社員の皆さん。皆さんはＳＨＡＤＯ

というＩＴの技術を使った検証の会社に自ら選択して入社しています。

技術的な成長がないなんて全くの無責任。努力をしない、成長しないというのは無責任ということになります。

責任という言葉、英語ではResponsibilityですね。

Responsibility= Response + Ability

反応する能力と読み替えることもできます。つまり責任とは、自分が何かに対して選択する、行動するといったことに対する能力ということです。

責任が取れる範囲は人によって限られていますが、自分が反応できる（選択できる、行動できる）範囲は責任が取れる範囲であり、自分が反応したこと（選択や行動）については放置してはならず、責任を背負わなくてはならないのです。

無責任症候群

然るべき立場にありながら、仕事をしていて、どうしましょうか？と聞く人。無責任ですね。自分で決断しない、判断しない、結局は責任を取りたくない、そんな無責任が横行していると思いませんか。

また、自分ができること以上のことをやろうとする、その人はそのことに責任を持てるのでしょうか。

まず自分のスキルアップに努めなければいけないポジションの人が、会社の仕組みを作るだとか、お客様にとって利益のある提案をしますなんて話、無責任以外の何ものでもありません。

態度があいまいな人、大変無責任です。やるのかやらないのか、できるのかできないのか判断したくない。無責任の極みです。

ある程度の経験をしているが仕事ができない、無責任以前の話ですが、社会に対して無責任です。

これぐらい大丈夫だろうと自分の狭い視野で判断する人。本当に大丈夫ですか。責任持てますか？

自分は責任を負いたくないと、おざなりな仕事をし、責任を果たさない人がとても多いと思っていますが、結局はその人ではなく、別の誰かが責任を果たしています。

それを考えたことはありませんか。

自分がやらなければ誰かがやらなくてはいけない。こんな単純なことが分からない人が多すぎると思っています。まさに無責任症候群!! こんなことをしていては会社どころか、社会も滅びてしまいます。

簡単なことにも責任はある、行動する、しないは関係なく存在していること自体に責任があります。これは放棄できない。放棄することは許されないのです。

責任という言葉。強い言葉ですが、社会に対して果たすのが責任、そしてその範囲で与えられるのが自由だと思います。

責任を取るためには、それに反応するそれ相応の能力が必要です。そしてそれが高い分だけ、より多くの自由が与えられます。自由は責任と表裏一体、といいますが、責任を取れる力が自分になくてはいけないのです。大きな自由を得たければ、大きな責任を取れるようにならないといけないでしょう。それは気持ちの問題ではなく具体的に何がどれだけできるか、ということです。甘くはありません。

チャレンジを共有する

チャレンジをするとき、自分ができることだけをしようとすると、結局新しいことはできません。ただ……もしうまくいかなかったら、責任が取れません。

これだけ考えると、新しいことにチャレンジするなんて、夢だ、と思ってしまいます。

チャレンジしないと新しいスキルも経験も身に付きません。ではどうしたらいいでしょう。

1つは、セーフティネットを考えること。一旦、ここまでやったら見直してみよう、というラインを自分で決めてみること。そして、ここを過ぎると後戻りできないラインを見極める。これを頭に入れて、どうやって新しいチャレンジをするか、を考えましょう。

そして、本当に大切なことは、一緒にチャレンジしてくれる人を見つけることです。1人は限界も低いものです。フォローも難しいでしょう。しかし、同じ目的を持ち、一緒にチャレンジをする人がいると、無責任で無謀なチャレンジになりにくいと思っています。

管理職になったとき、自分の責任の範囲が広がり、チャレンジしなくなってしまいます。しかし、部下と一緒にトライしてみましょう。

最初は自分の考えやスピードで、やりたいことを共有し、リスクも同じ温度感で共有するのは大変なことです。

それを繰り返し言語化して、チャレンジしてみましょう。責任の範囲も広がり、できることも増えてきます。

本来の責任を取るということは、決してネガティブな話だけではないのです。責任の取れる範囲を自分自身も広げ、人との和で解決していくこと、これが本来の責任を果たす、取るということではないでしょうか。

そう考えると、今まで以上に責任とは重たい言葉だと感じますが、責任を果たした人にしか分からないことがたくさんあります。楽しいことがたくさんあります。

責任を果たせるようになりましょう。

心の契約

お客様との最初の打ち合わせ。私はいつも全力で心の契約を結べるように頑張ります。

お客様が契約をしようと思うとき、信用できると思わなければ、この会社なら、いや、この人ならできるだろうと思うから契約を結ぶ訳です。

これこそまさに心の契約。契約とは心の契約がなければ意味がありません。つまり、信用される、期待されなければ誰も仕事をお願いしようとは思わない訳ですよね。

この心の契約、まずは本当にお客様の困っていることに対して当事者意識を持って考える必要があるでしょう。これがお客様に伝わって、一緒にやっていきたいと思っていただけたら、お客様と心の契約を結べたことになるのではないでしょうか。

よく、私が……と自分のことだけを考えて発言する人がいますが、それをやっている間はこの心の契約という言葉の意味を理解できないでしょう。お客様が困っていることを、我がことと感じる感覚が必要だと思います。

契約とは、簡単にいうと約束事です。いつまでに、どのようなことを、どのくらいの予算で行うか、といったことが書かれているものです。私たちは、約束した納品物を、約束した納期までにお客様に納品することで、契約を果たすことになります。

納品物とは、あらかじめ、どんなものをアウトプットとしますと合意したものです。

納期とは、約束の期日。いつまでに、ということです。

ただし、これは契約書の話。

契約を結んでプロジェクトを邁進しようとするのはいいことですが、忘れていませんか？　心の契約は結べていますか？　心の契約があるのなら、心の納品と、心の納期があるのではないでしょうか。

心の契約は、お客様との信頼関係を築き上げた結果、結ばれるものです。きっとそのときは、お互いにWin-Winが見えているのではないでしょうか。

しかし、心の契約を結び、契約したのに、仕事を始めると、この心の契約を忘れてしまってはいないでしょうか。

もう一度考えてみましょう。

心の契約とは、お客様と私たちの心の中にあるものです。信頼、期待などいろんな言葉に置き換えることができると思いますが、しかしそれは心の中にあるもの。

これは、お客様と私たちだけの間にある訳ではなく、同僚や、上司と部下などの関係にも当てはまると思います。そうなると、いろんな人と心の契約を結んでいることになるはずです。

契約がある場合に契約書の内容を果たすのは当然として、何事にも、結んだ心の契約を果たす必要があるのではないでしょうか。

心の契約は次に繋がる

心の契約も契約。

では心の契約に納期はないのでしょうか。私はあると思います。

では心の契約の納期とはなんでしょうか。

期日までに何かを仕上げるのは契約書に書かれていますから当たり前だと書きました。では、心の契約の納期とは何かというと、日々のお客様の期待にこたえ続けることではないでしょうか。

早めに納品する、これも1つのお客様の期待にこたえることになります。しかし、これだけではないですね。

例えば、完成するまでにその過程を説明して、お客様が安心して納期に納品を受け入れられるようにする、これはまさに心の納期を果たしたことにはなりませんか。

上司に明日中に資料をまとめてほしいと言われて、明日中に提出するのは当たり前です。しかし、ある程度、方向性が見えた段階で一度上司に確認したり、何度かポイントを決めて途中経過を説明したりすると、上司は大変安心してあなたを評価するでしょう。

その仕事自体を評価してもらえると思いますが、大切なことは、あなたに渡した仕事は安心して任せられるという気持ちです。

お客様も一緒です。それができる人は心の契約の納期を守り、心の契約を果たすことができます。

契約書に記述されているドキュメントや成果物を提出するのは当たり前です。

お客様にあらかじめ決めた納品物を納品することは大切ですが、一番大切なのは、お客様に満足していただけたか、ということだと思います。

心の契約で納品するものは物ではありません。お客様が満足した、お客様が期待していた以上の効果があった、と感じていただけることこそが、心の契約の納品です。

皆さん、心の契約の納品について考えたことがありますか?

心の契約の納品ができている人の納品物は、それだけで信用されるものです。契約内容にこたえるだけでは、心の契約の納品を果たしたことにはならないのです。

契約を交わした仕事は、契約書に書かれていることが果たされることで完結します。

心の契約を結ぼうとしている人は、契約書の納期と納品を考えるのと同時に、心の契約の納期と納品を、お客様や相手の立場に立って真剣に考えないといけません。心の契約を結べる人は、心の契約の納期を守り、心の契約の納品を果たしているのです。心の契約を完結できた人は、お客様から、次もよろしくお願いします、との声をかけていただけるはずです。

一生懸命仕事をしたけど、ありがとう、はいさようなら、の人は、今一度、心の契約とその完結をどうすべきかを考えてほしいと思います。

契約というものは約束事と書きました。それは当たり前の話です。ともすると、言われた通りやったことに満足してしまいますが、お客様や同僚、上司は満足しているのでしょうか？　言われたことだけをやっている人には一生理解できないです。

心と心が触れ合った心の契約。これが本質ではないでしょうか。

当たり前に疑え

コミュニケーションの行き違いのもと、言葉の勘違いの話を書いたと思います。

自分自身が言葉に縛られて、勘違いから苦しむことも多くあります。いや、毎日それに忙殺されていませんか？

よくある話が、やることの、幅が違うということ。例えばこの金額に◯◯は含まれますか？という話ではついつい立場によって都合のいい解釈が生まれてしまいます。

よく使われている言葉でも、曖昧にしてしまって、あとから大きな認識違いをお客様や仲間同僚としてしまっていることはたくさんあります。

私もついつい自分の都合のいいように考えてしまいます。とても楽観的な性格のせいか、ついつい大丈夫だろうと曖昧な捉え方、理解をしていることは多いです。

惑わされてはいけません。ちゃんと理解しないと成長できないですし、目が曇っていると真実は見えてきません。

例えば……

人手不足≠人材不足

全員≠全体

知っている≠理解している≠できる

リーダー≠偉い人

自由≠好き勝手

etc.……

何か勘違いしている人が多いですよ。言葉から受ける印象もありますし、今まで自分がこれで困ったことがないからあまり考えないのかもしれません。

しかし、自分の問題として降り掛かったときに、考え方を変えないと苦しむことになります。これは特に、管理職になったばかりの人が陥る罠だとも思います。

人手不足なのに、自分は仕事にありつけない……。それは『人手不足≠人材不足』だからです。人が必要ではないのです。人材が必要。人財ともいいます。

そもそも、必要とされるような努力をしてきましたか？　おざなりに過ごしてきたツケを、社会や他人が払うのは間違いです。自分のことは自分で責任を持ちましょう。

人を集める立場になったとき、このポイントを勘違いしていると現場に混乱を招くことになります。

そう、役割を担う人が足りないのです。人数が足りない訳ではないのです。

『全員≠全体』が分かっていないと、全員ができるようになる、全員が使える、全員が全員が……となります。社会主義ではあるまいし、全員が何かをできるようになったり、全員が同じ評価を受けたりするなんておかしいのです。

全体ですよね、全体。全員で、が必要なこともありますが、全員揃って、と考えると、それは一番できない人に合わせるということです。

成果が出たとき、全員でそれを分かち合いますかというと、全員に平等に、ではないはずです。1匹の魚を分けることを考えるのではなく、全体で何匹かの魚を取ることを考えるべきだと思います。それが結局、全員のためになります。

これ、リーダーを任された人が最初に陥る罠です。自分が見えていた景色から見ると、リーダーになったら全員大切にしようと思うのです。気持ちは素晴らしい。

しかし、そうはならないのです。全体を考える。これが腹落ちするまではあなたは管理職ではないのです。

知っていることをできることだと思っている、頭が常に春の人。『知っている≠理解している≠できる』の違いが分かっていない人です。知っていることは、まず理解して、自分の言葉で説明できなければなりません。そして、できるは……それはもう努力が必要です。

自分ができると思っている、知っているだけの人はかなり多いです。実践が伴わないものは、意味がありません。

人を評価するとき、よく間違えてしまうのは、この知っているというので間違えた判断をしてしまいます。実践や実行力が伴わなければ、大きな判断ミスを犯すことになります。

なかなか難しいですが、人の見極めは、学んだことを並べるより、自分の体験談から話ができる人を評価するべきでしょう。

『義務を果たす』ことがセットで自由があるのではないでしょうか。つまり『自由≠好き勝手』ということですね。

生きていく上では、必ず利害関係者がいます。しがらみなんていってしまうとネガティブな印象になってしまいますが、仕事でも、会社や同僚、お客様という利害関係者がいます。

私の理解では、自由というのは、この利害関係者の利害を調整する義務があり、それが大きければ大きいほど自由は広くなると思っています。自由とはそういうもの。

そして、好き勝手というのは、この利害関係者なんて、いないが如く行動してしまう、ということではないでしょうか。

自由は、与えられるものではなくて、自分で手に入れるもの。仕事がある程度自由になってくると楽しくなってきて、多少の苦労もそう感じなくなってくるものですが、それは自分で考え行動し義務を果たして手に入れているからです。自由を手にするのは難しいですが、だから自由は価値があるのです。

『リーダー≠偉い人』なのです。リーダー的な要素には、メンバーをまとめること、メンバーを自分に合わせるよう変えるのではなく自分がメンバーに合わせることが必要です。

　偉い人がリーダーになる訳ではありません。できないこともたくさんあって、周りがフォローしないといけないことも多いのです。偉いんだからこれくらいやれ、○○なんだから、という決め付けが一番良くないです。これではチームではないのです。リーダーというのはあくまでも役割です。

　ところで、羊とヤギの関係を知っていますか。

　羊は目が悪い動物で、群れて自分たちを守るため、お互いに体を寄せ合っています。しかし、ちょっとしたことで驚き、群れはバラバラになります。

　しかし、ヤギを1頭群れに入れることで、群れを保ち続けることができます。ヤギは肝が座った動物で、雷が鳴ったり外敵がいたりしても動じることがないからです。

　リーダーとは、このヤギを指すと私は思っています。

　リーダーを持たない組織は続かないでしょう。リーダーはチームの中心にいて、実践して見せるからこそメンバーが付いてくる。偉い訳ではありませんが、メンバーを率いて中心にいるのです。

　もちろん自由に動きますが、しかし、自分のミッションを確実にこなす。それがリーダーの使命なのでしょうね。

リーダーとかマネージャーといわれる人の能力で一番大切なのは、組織に対してどれだけ貢献できるか、コミットできるかということだといわれています。ヤギにできて、人間にできないのはなぜなのでしょう。ものごとを深く考える洞察力が足りず勘違いすることも、その理由の1つかもしれません。

使い慣れている言葉でも、実は勘違いしていることがある訳ですから、私も、日常のちょっとしたことでも、当たり前と流さないようにしなければと思います。常識を疑う。しかし、常識を知ることから始めなければいけません。当たり前を疑う。これが大切だと思います。

知識も経験も学ぶ

何事も、経験することは素晴らしいことです。新しい発見もありますし、また、自分が成長するのも経験が後押しをしてくれますね。

経験はまた、真実を発見する場でもある、と思います。ですから、『経験した』ということは、何事にも変えがたいこと。

仕事では、何かを学ぶだけではできるようにならないのは、皆さん経験済みでしょう。いい本だなぁと思って購入して一生懸命勉強しても、それがすぐ、仕事の役に立つかというと、それは全く別の話ですね。

特に仕事は、経験している人には敵わないと思います。知識だけでもある程度のことはできますが、経験している強みは大きいですね。

私も、開発していたときに経験したこと、特に失敗して胃が痛くなったことが、仕事に生きている、ベースになっている、と思っています。

もちろんこれには反論もあるかと思います。いや、経験は大切だが、知識も大切、逆に知識があれば何とかなるものだ、ということも言えなくもないです。

確かにそうかもしれません。未経験者なら始めは何かから学び、そしてできるようになっていくものです。

また、世の中すべてのことを経験することは不可能です。

知識を学ぶことも大切です。

学ぶというのは知識を得るというイメージが強いですが、経験自体も学ぶことです。

しかしこれは、似て非なるものだと思っています。

知識を得る、そして経験する。

経験というと難しく感じるかもしれませんが、とにかく未知のものにチャレンジするには、知識と、経験しよう、動こうといった自分の意思が大切です。つまり、動と静というか、知識を学び、そして実践して経験するといった過程を経て、本当に学んだということになると思います。何かを身に付けるには、この過程が必要でしょう。

実際に、お客様が困っている現場で手助けできるかどうかは、その過程をいかにたくさんこなしているかによります。もちろんその量や質で、結果は変わってくるでしょう。

知識を得ること、そして経験することが大切だということですが、私は断然『経験』することが大切だと思っています。

経験が大切だと書きましたが、これはあくまでも広く『経験すること』の意味です。ちょっと分かりにくいでしょうか。つまり、経験しなくてはいけないのは、成功だけ、という意味ではないのです。

経験するということ。これは成功と失敗のどちらか一方の経験であってはいけません。甘い味だけで食べ物は成り立たないように、成功（甘い味）も失敗（塩味？）も、経験が必要です。

一般的に失敗することのほうが少ないはずですね。そんなに失敗ばかりしていたら経済活動は成り立ちません。

そう考えると、失敗するということは大変貴重な経験といえます。

皆さんはそんな経験をしていますか？　これは失敗しそうだな……と諦めることと、チャレンジして失敗したことは全く違います。

経験にこだわりたいですね。

失敗に対する恐れ

誰しも成功したいと思います。失敗したいと思ってことを進める人は（悪意がなければ）いないはずです。

しかし、失敗する可能性はたくさんあります。多くの成功の陰には、失敗もそれなりにある、という事実を今一度認識しなければいけないと思います。

そんなの当たり前じゃないか！と思われるかもしれませんが、成功するということは失敗する可能性が必ずあるのです。成功は失敗のリスクの上に成り立っているともいえるでしょう。

どんなに用意周到であっても、失敗するときはします。それは自分の力だけではない場合も多いはずです。であるならば、失敗することを過度に恐れてはいけないと思いませんか？

恐れるな、とは言いません。しかし、恐れるあまりにチャレンジしないのは勿体ない。

これは逆にいうと、恐れているという感覚があるうちは成功の可能性が高いということもいえるのです。

失敗することの恐れがなくなったとき、失敗がやってくるのだと思います。

そして失敗したとき、それはそれで評価しましょう。失敗を経験した、と。なぜかというと、失敗や間違いを犯さない人は、何もしていないのです。だから成功も失敗もしない。何もしなければ、もちろん失敗はありませんが、何も成長しませんし、その人のためにならないでしょう。

知識と経験が自分を磨く

体験することはとても貴重で、もう二度と味わうことができないものばかりです。

その瞬間、その場所にいた人しか味わえません。

その貴重な体験を自分の経験として活かすためには、知識をよく学んで、それをベースに体験していくことが大切だと思っています。

正しい知識と技術を学ぶこと。それらに基づいた経験が自分の財産になるはずです。『よく学び、よく遊ぶ』という言葉に似ていると思います。

自分が経験したことは、人の心を打ちます。こうしたらうまくいった。いや、失敗した。そして、それはどうしてそうなってしまったのか、といったことが知識と経験に基づいた話であれば、人は感動しますね。

お客様とうまくコミュニケーションが取りたければ、仕事はもちろんですが、趣味や興味のあることでもいいので、学び、そして経験することで自分を磨いていきましょう。

結局、自分磨きは、正しい知識と技術を学び、それに基づく経験をたくさんすることです。じっとしていては始まりません。

第4章

一人では
仕事ができない

立ち呑みに学ぶプロジェクト運営

皆さん、立ち呑みってご存知でしょうか。

昔はガード下などに多くあって、とても安くお酒を呑むことができました。最近では、とても綺麗で、立ち呑みのシステムを取り入れた立ち呑み屋がありますが、あれとはちょっと違います。

私がよく利用していたのは、呑みたい物、食べたい物ごとにお金を払って立ってお酒を呑む、といった感じです。立ち呑みなんて言い方をするので、日本的な感じもしますが、イギリスの小さなPubも同じシステムですね。

この立ち呑み、よく会社の同僚と行きました。

まずは全員で千円ずつテーブルに載せて、それがなくなるまで呑み食いします。そして、また千円。また呑みます、食べます。とてもシンプルで呑みやすいし、後で割り勘を考えることもなくて、私はちょっと呑んで帰りたいなというときには最高のシステムだと思っています。

さて、この立ち呑みですが、よく見ると、急に立ち上げなくてはいけなくなったプロジェクトの成功方法を教えてくれている部分があります。

さて、一杯呑みながら話を進めましょうか！

先ほど同僚と書きましたが、決して狭い範囲では呑んでいませんでした。同じ課の同僚もいますし、自分の上司もいます。

さあ、みんなはどのくらい呑むんだろうか。呑み始めは分かりませんね。ひょっとすると早く帰りたい人もいるかもしれませんし、この後しっかり呑みたい人もいるかもしれません。

アフターファイブですから仕事をしている訳ではありませんが、やはり上司には気を使いますね。それに、技術の人間と営業の人間が交ざっていたりすると、他の部署の人にも多少気を使う訳です。

これ、ステークホルダーっていってもいいかもしれませんね。楽しく呑むためには、それぞれの立場の違いによって、ステークホルダーの要求や目的が違うということを認識しなければいけません。

呑み会が始まったら、いろいろ考えます。今日は何をどれだけ呑むんだろうか。自分が使っていいお小遣いを計算します。もちろん露骨に財布を開けて確認する訳ではないですが、周りに迷惑をかけないように、今日はいくらまでならＯＫと考える訳です。しかし、これはあくまでも自分の懐具合。

いや、これを読んで、あ、プロジェクトは工数計算が必要ですねという話ではないです。

確かにそうですが、工数計算に大切な、自分（または自分の会社、チーム）が対応できる能力（呑みの場合は、自分が対応できる金額ですね）をあらかじめ見積もる必要があるということですね。

実行できないガントチャート（工程・人員別の作業項目の進捗管理表をグラフ化したもの）を引く人がよくいるのですが、それは自分が使っていい小遣いが分からない、最後にはお金がないという呑み方をしていることになります。

まずは、立ち呑み屋ですから、大体これくらいと考えるには、自分の懐具合をちゃんと分かっていることが大切だという訳です。それが分かっていなければ、後でお金が足りないとか、セコすぎて呑み会が楽しくない、なんてことになってしまいます。楽しめなければ呑み会（プロジェクト）は失敗です。

さて、上司と呑んでいるとき、まさか今日はいくら持っていますか、いくら呑みますか、なんて聞きにくいですね。

呑み会であれば、時間で仕切ったりすることで、このリスクは回避できます。しかしプロジェクトとしては、残工数でどれだけのものができるのかといったことが非常に掴みにくいと思います。

見積もりの精度を上げる方法はいくつかありますが、ＩＴの場合は最終的には集まった人に依存しますので、簡単ではありません。

例えば、協力会社や委託先が作ってくるものがどうなっているのか、問題はないのかといったことは、定義もしにくく、受け入れた後に問題が出ることがたくさんあります。

呑み会でも相手の懐具合を予測する、または一定の制限をかけるというのは難しいですね。この呑み会の幕引きをどのようにするかは最初に決めておくべきで、今日の呑み会での自分の予算はこれくらい、と考える訳です。

千円ずつテーブルにおいて、それがなくなるまで呑むというのは、そういった面では大変リスクの少ない呑み方です。受け入れる基準や、やり様として、どのように進めたものであれば共通認識としてＯＫ、といった小さいマイルストーンを作ってそれを積み上げることに似ています。この場合、千円という単位が1つのマイルストーンです。

なんだか変な言葉のようですが、プロジェクトは一定の段階までは人や情報、作るものがどんどん増えていきます。

しかし、これも闇雲に人を増やしてもダメです。つまり、プロジェクトが健全に太る仕組みを作ることが大切ということです。

呑み会も、忙しい部署ですと、全員が同じ時間に集合して解散するということは難しい場合があります。そうなると、五月雨式に始まって、流れ解散できるのが一番いいですね。

ただし、割り勘にしなくてはいけませんし、それぞれ好みも違います。集まる時間も違えば帰る時間も違う。

そうなると、立ち呑みは本領発揮ですね。何しろ千円。その千円がなくなるまで呑む、そして、次はそれぞれの都合で考える。呑みたいもの、食べたいものは自分が好きなものを頼めばいいのです。集めた千円を超えなければ。

このように考えると、プロジェクトもやはりある時期は人がたくさん集まってきますが、どこかで少しずつ減ってくる訳です。立ち呑みと同じように、集まって、そして流れ解散になっていく様は、実にうまくいきます。先が見えないときは、小さなマイルストーンを１つずつクリアして積み上げるのがいいことだと思っています。

さて、どんどん帰る人が増えて人が減り、寂しくなってきます。どんどん人は減っていき、そして規模も小さくなってきますね。最後に残った呑み助は、最後を締めて、細かい小銭を整理して、終了を宣言します。

これはプロジェクトも一緒ですね。途中にたくさんの人、会社、チームが関わりますが、しかし、立ち上げと最後というのは特別です。最後にそこに立っている人は……もちろん呑み助ではありません。プロジェクトの最後は、最初にこの終わりが見えている人が立っているものです。

呑み会もそうですね。立ち呑み屋の粋な呑み方を知って、呑み会の最後のちょっと寂しいあの終わり方を知っている人が最後まで残っているものです。

立ち呑みマネージメント

呑み会は、その時間限定のものですから、一時的な集まりですね。

これはプロジェクトそのものです。私たちはプロジェクトという旗の下に集まっています。チームはプロジェクト限定の一時的な集まりです。だから難しい。

人の集合が、1回ではないということがあります。呑み会はそれぞれの仕事を終えてから呑みに来ますから、徐々に人が増えてきます。始めからいる人は減っていき、そして新しく来た人には立ち呑みのルールを伝えねばなりません。

これもやはりプロジェクトと一緒ですね。プロジェクトでは教育というのも含まれるかもしれません。

そして、分かりやすいルール。千円単位で徴収し、そこまで呑んでみて、次を決める。

もちろんプロジェクトでは、やってみて次を決めるというのは不適切なような気がします。しかし、やってみなくては分からないことが多い昨今は、できるだけ分かりやすい、短くて小さいスパンのマイルストーンを決め、それをクリアしていくのが安全でしょう。

立ち呑み屋というのは安いです。とても美味しい料理というのは、あまり期待できません。しかし、その限られた空間・場をうまくマネージメントすることで、とても楽しいひとときを過ごし、満足することができます。

問題点を小さく分解して、解決していく。

よく象を食べるにはどうしたらいいのか、という言い方をされますが、この立ち呑みのように考えるとヒントがあるのではないでしょうか。

気がついた人もいると思いますが、アジャイル開発（小さな単位で実装とテストとを繰り返して進める開発手法）こそ立ち呑みの極意ではないかと思っているのです。失敗するのは千円というスプリント（工程の単位）の設定が適切でないのかもしれないですね。

立ち呑みをうまくコントロールして楽しめることは、管理の本質に迫ることでもあるのです。おもしろいでしょ？

はい？　私はいつもそんなことを考えて呑んでいるのかって？　まさか！　呑むときは呑みます！　それも楽しく！

仕事の掟

私にはいくつかの己の掟があります。

自分が自分に課す掟やルールというのは、プロ意識の現れだと思っています。そして自分を自分で律するものではないでしょうか。

そんなこと思ったこともありません、という人が多いのですが、いやいや自分の行動を振り返ってみてください。様々に判断を必要とする場面で、その掟が発動していませんか?

掟はとても大切だと思っています。誰でもあるはず。しかし、なかなか言語化していないのも事実ですね。そこで、私の、仕事に対する、向き合い方、掟の話をしたいと思います。昔話も入りますが独断と偏見の掟です。

1. 仕事ができないのなら、休まない
2. できることを全力で
3. 自分だけの利益にならないこと
4. お金以外の利益を得ること
5. 常に新しいチャレンジをして結果を残すこと
6. やりきる
7. できないとか、自分の都合は言わない
8. もっと良くなるはずだ、という欲を持つ

こんな感じです。

やる内容によって変えていますが、こんなことを頭に浮かべながら新しい仕事に立ち向かいます。

１．仕事ができないのなら、休まない

これはもちろん私自身の掟です。こうしなさい、こうするといい、という訳ではありません。これをやれというのはブラックな会社ですよね。

若い頃から決して仕事ができるほうではありませんでした。もちろん気遣いもできない、そんなダメダメ社員でした。

だから、休むってことにすごく罪悪感を持ちました。これは今でも感じることがあります。

しかし、それは休日を返上する、残業をする、寝ないで仕事をする、という意味ではありません。時間をかけて考えたいですが、それを例えば移動中に考える、もっといい方法はないか、と考える時間を増やすということです。

ＴＶを見ていても気になる技術や話は調べてみる、後で調べるようにメモをとる。

大したことがないことの積み上げをやりましょうということ。

会社には、手ぶらでは行きません。自分が学ばなくてはいけないことを電車の中、電車待ちの間、昼休みに学ぶためです。鞄には、今でも何かの本が入っています。あ、ちなみに私は読書が苦手。苦手だから、まずは近づくことが大切だと思って、本を近づけています。今ではスマホでも読めますが、本を持ち歩く習慣は、電車の往復時間がとても勿体ないと思って続けている習慣です。

ＩＴには、どんどん新しい技術が登場しています。今年も新しい技術を扱うことがあって、勉強しなくてはいけません。次のプロジェクトでは、ちゃんと○○できるようにしたい、と欲を持つようにしています。

2. できることを全力で

もともと仕事ができませんから、全力で片付けるつもりでなければ人並みの仕事ができる訳がない、と考えています。仕事ができないというのは、そこに存在しているだけで誰かに迷惑をかけます。私はそれが嫌だから、できなくても全力で、できるまでやります。

常に背伸びしています。これは自分の不安を全力でやることで埋めているだけかもしれないです。

もしあなたが「全力で何かをやるなんて、自分が壊れちゃう」と考えているとすれば、確かにそういう側面もありますので、気をつけてほしいと思いますが、１回は全力でやってみましょう。

そうすると自分の限界も見えます、自分がこれじゃ心が折れちゃうという、しきい値が見つかるかもしれないです。

しかし、全力でやることのいいことは、うまくいったときではなくて失敗したときなんです。例えば仕事を全力でやって失敗したら、お客様や上司に叱られると思いますが、しかし、今の自分がこれだけやって失敗したのだからと、諦めがついて、自分の場合は気持ちが楽になるのです。

「あれだけやってダメだったんだもの。しょうがないな」

そう思えます。そして、人が失敗しても全力でやっているのなら、同じように思えます。いちいち腹をたてることもないようになります。

全力でやるということは、そういう効果があると思っています。

３．自分だけの利益にならないこと

自分が疲れているときは周りも同じ。自分だけの感情は出しません。

今、行っていることが本当に自分のためだけではなくて、お客様やエンドユーザーのためになるのかを常に考えています。

それと、部下が成長できるように。

叱ることは大変疲れます。できればやりたくない。でも、叱ることで、意識のある人は最短距離で成長します。だから、その人のために叱ることがあります。

自分が嫌だなという負の感情を排除したいがために、部下の成長のチャンスを止めてはいけないですね。これは自分の利益だけを考えるとこういう行動になります。

利益はすぐ眼の前に現れるものだけではありません。これが、お客様の利益になっているのかなと考えてみる。これは、誰が良くなるのかな？　不利益を受け取る人や会社はないかな、と考える。

正解はないのですが、ついつい自分だけの利益を考えて行動してしまいがちですが、この行動の先に自分以外の人たちにも利益があるのか、ということを考えることが大切です。

よくシステム開発の要求定義で、どれも必要と思ってしまうのですが、これを作ることで誰がどう良くなるのか、例えば総務部門の月末の○○処理が半分になる、などの利益を考えないと、無駄なものを作ってしまいがちです。

そうならないためには、常に自分自身の利益だけ考えていないか、と立ち止まる癖をつけています。

利益というとついついお金とか難しいことを考えがちですが、『良くなること』は何か、自分が良くなること、相手が良くなることと考えるといいでしょう。

４．お金以外の利益を得ること

技術や人脈、お客様との成功の共有……etc.

お金を得る以外のことがなければ、仕事をする意味がないと思っています。お金以外というのは、お金があまりにも分かりやすいので、お金以外と考えましょう、ということです。

人脈なんて話もあると思います。自分自身の経験もあるでしょう。

私がよくあるのは、お客様に素晴らしい人がいて、とても刺激を受けて、また新しい発想ができるようになることがあります。

これは素晴らしいことだと思っています。何歳になっても学ぶことができる、そして成長することができるんですね。これは素晴らしい利益だと思います。

逆に、自分が持っている専門性で仕事を通して、お客様にも新しい世界を知ってもらうというのは素晴らしいことだと思います。お客様はお金と違う利益を得たと思います。これは、あなたの信頼度がぐっと上がることにもなります。貴方の価値も上がっているはずです。

利益というものはそういうこと。得ることもあれば与えることもある。相互作用だと思っています。この利益の相互作用がやがて貴方や、会社、そして、お客様の価値を上げていくことになるのです。

5. 常に新しいチャレンジをして結果を残すこと

私は技術者でもありますので、常に新しい技術にチャレンジすることを心がけています。

自分が知らないからとか、経験がないからと避けていては何も始まらないどころか、どんどん自分の得意なことを狭めていってしまいます。

それを防ぐためには、チャレンジするのが当たり前、といつも思うようにしています。時にはできなくて迷惑をかけるかもしれませんし、自分が大変忙しくなってしまうこともあります。

しかし、体験して経験することで、自分のものになり、それを体系立てて、誰かに渡すことができるようになります。これをノウハウと呼んだりしますが、どんどん自分に蓄積され、それを部下や会社に伝えることで集合知として昇華させることができると思っています。

チャレンジする姿勢や結果は、個人のスキルアップだけではなく会社の発展に寄与することができます。ひょっとするとそれを続けると自分で起業できるかもしれません。それくらい、威力のあるもの、それがチャレンジすることです。

6. やりきる

プロジェクトが進むと、うまくいかないことも増えてきます。問題が発生して、人が疲弊してきます。そうするとバタバタと人が倒れていきます。プロジェクトでは最後まで立っている人、最後を見届けた人が勝者です。

誰でもつらくなると途中でやめたくなりますが、その気持をぐっと飲み込んで、最後までやりきる、これが私の掟。

やりきるには、メンタルがすごく大切になってきます。時には手を抜き、時には全力でやる。全力でやったときは、ここまでやったんだから大丈夫だと思う。自分である程度、行動と結びつけたメンタルの維持が必要だと思います。

過去にも書きましたが、例えば全力でやってダメならしょうがないと思うようにする。チャレンジしてダメだったら、だってチャレンジなんだものと思うということだと思います。

気持ちが逃げてしまうときもあるでしょう。逃げちゃいけないと思わないことが大切です。どうあれ、最後どうなるか見てみたい、という好奇心が必要だと思います。つらくなる入り口で、プロジェクトから逃げる、を繰り返している人がいました。年齢を重ねると、だんだんあてにならない人という評価を受けるようになってしまいました。

難しいですが、最後までそこに『いるだけでいい』から頑張ってみて、少し汗をかいてみましょう。それをやらないと、取り返しがつかないタイミングで悔し涙を流します。

どんな状態であれ、ラストマンスタンディング。スキルが低くて評価されていない人でも最後まで残った人はすごく評価されるというのはそういうことだと思います。

一緒に汗をかきましょう。

7．できないとか自分の都合は言わない

困ったとか、できなかったらどうしよう……なんて、どんどん自分の心の中に止めどもなく湧いてくるのがマイナスの感情です。それは、単純に自分がやりたくないからそういう感情になるのかもしれません。経験からこれはまずいことになりそうだ、と感じているのかもしれません。

心配事だらけですね。ついついこれを言ってしまいがちですが、それを少し待ちましょう。落ち着いてから、よく考えてみると、大体は自分の都合だけを考えていることに気がつきます。

また、経験からいろいろとネガティブな要素が頭の中に溢れてきますが、そうなる貴方はとても優秀です。それだけ悩むことをちゃんと言語化できて明確にできるということですから。マネージャーとしてその能力は高いレベルであると言えます。

この自分の都合でできないかも、こんなことが起きそうだということはだいたい起きないものです。まぁ私の経験上ですが。本当に起きそうなことはリスク管理すればいいいんじゃないかなと考えています。

ただ、メンタル的には不安ですよね。不安じゃない人なんて珍しいと思います。

しかし、この不安とかリスクのほとんどは自分の考えすぎだったりします。よく考

えてみて、整理をして眺めてみる。すると、ありえないものもあるし、ちゃんと管理していればいいこともたくさんあります。

よく不安の9割は起きもしないことで悩むなんていいますが、不安やリスクを抱えているときはついつい自分だけの都合で閉じこもってしまいがちです。上手に付き合うためには、自分の都合で考えていないだろうか、と、1回手放してみて、リスクや不安を見てみましょう。意外と自分の都合じゃないものも多いのです。

ちゃんと整理する。すぐにネガティブに判断しないということを心がけるといいと思います。

自分の都合を言っている限りはプロではありません。

8．もっと良くなるはずだ、という欲を持つ

マズローの欲求5段階説を見ても分かるように、人は欲を持ちます。欲というとあまりいい印象を与えないと思います。しかし私は、せっかく仕事をするのだから、とか、せっかくこの人と一緒に仕事ができるのだから、と、欲をかくのです。

何か吸収できることがないのか、いや、もっと成果が出るんじゃないかとか、いやいや、もっと簡単でいい方法があるはずだ、と常に考えるようにしています。

目の前の仕事をこなすことも必要なのですが、その中で、仕事をこなすだけじゃ勿体ない、という風に思うのです。すると、ものを考える癖がつくので、考えついたことは断片的なものですが、メモを取るようにしています。それの積み重ねが今の自分を作り上げたといえるでしょう。

さて、これは私の掟。誰かに強制するものではありません。もちろん、こうしろとも言いません。しかし、大切なことは自分の掟を持つことだと思っています。自分の掟が出来上がると、自分のスタイルになり、形ができていきます。いわゆる成功のパターンができてくる。そして、自分の今の姿も見えてきます。掟を作りそれをアップデートしていくことは、自分を守り、そして、無理せず成長できることへと繋がっていきます。

社会で一人前と呼ばれるためには、己の掟が必要ということです。

野球に学ぶチーム運営

皆さん、国民的人気のスポーツといえば、野球とサッカーですかね。最近は野球のナイターの視聴率が下がってしまって、昔ほど国民的ではないかもしれません。

私は昔から、見るよりも自分でプレイすることのほうが一生懸命でした。本当は下手くそなので、人のプレイをしっかり見なくてはいけないのですが、見ないで練習することが好きでした。

どんなに努力しても私はずっと補欠。補欠は練習すら、まともにできません。バッティング練習なんて、させてもらえませんでした。

私が子どもの頃は、みんなで集まって遊ぶとき、一番人気は野球でしたが、私はルールを全く知りませんでした。ですから、周りの友達より野球を始めるのが遅く、本格的に野球部に入った段階で、すでにスタート地点がみんなよりも後ろだったんです。

もともと運動音痴、鈍臭いなんて言われていました。ですから、野球でレギュラーになるなんて夢のまた夢。それでも毎日毎日、暗くなってボールが見えなくなるまで練習をしていました。

でも、一度もレギュラーになったことがありません。試合に出るとしても、1校から数チーム出ることができる大会に、辛うじてファーストとして出場することができたくらいです。ファーストといえば格好いいですね。いえいえ、実は違います。当時から身長が高く、守備が下手くそだったのでファーストでした。

自分としては一生懸命に練習していましたけれど、レギュラーの人たちとは、いくら藻掻いても距離は開くばかり。でも、なぜか止めることはなく、結局、最後までレギュラーになることがないまま過ごしました。

結局好きだったんでしょうね。野球というよりは、野球チームが。自分が努力してレギュラーになることが叶わなくても、チームの一員でいられる。練習のときは、誰かの役に立つことができる。そして、それは分け隔てなくチームとして行われていて、それが魅力的だったのだと思います。

自分は、本当にセンスがありませんでした。今でも、どう考えても、なぜ野球部にずっといたのか分かりませんが、みんなでチームを作っていく、そして強いチームが生まれていく。その醍醐味は、参加して目の当たりにしないと分かりません。

チームといっても競争があります。もちろん、力のある人たちがレギュラーになります。彼らのようになりたい、でもどれだけ努力しても追いつかない。悔しかったです。しかし、その中でも、自分で楽しいことを見つけることができたのかな、と思っています。

ポジション（立場）の意義

野球チームですから、上手に野球ができないといけないですね。どうするといい、ということは分かっていますが、なかなかできるものではありません。実際、私はできないことのほうが多かったですから。

しかし、チームがチームであり続けることを練習で叩き込まれました。

例えば、ファーストにランナーがいて、内野ゴロ。これはゲッツーですね。練習では、人がいなくてもセカンドベースの上にボールを投げろと教わります。そして、受ける側はボールがくるからベースの上に飛び込め！と教わります。

お互いを信頼して、1秒を争う。そして、それをこと細かに指示を出しているポジション。それはキャッチャーなんです。

キャッチャーって、野球を始めるまで、これほど大切なポジションだとは思っていませんでした。キャッチャーの人には申し訳ないのですが、大したポジションではないと思っていました。草野球をやっているときなんて、誰もやりたがらない。次の打席に立つ人がやる、なんてめちゃくちゃなルールで遊んでいたこともありました。

しかし、野球の真髄は、このキャッチャーを知らなければ理解できません。

攻守それぞれの花形は、４番打者とピッチャーですね。試合に勝つと、ヒーローインタビューは決勝打を放った打者と、ピッチャーにスポットライトが当たります。

しかし、ピッチングは、キャッチャーとの共同作業。ピッチャーの潜在能力を発揮できるか、できないかは、バッテリーを組んだキャッチャーが大きく関係します。ともすると、試合中はほぼキャッチャーの配球指示通りに投げて、勝利投手になる場合もあります。これは、ピッチャーの実力も素晴らしいですが、それを発揮できるようにしているキャッチャーも同じように素晴らしいのです。

脚光は浴びません。ちょっと地味な存在かもしれないですが、しかし、キャッチャーがリードすることで、チーム全体の、いや、試合全体の結果に大きな違いがあるのも事実です。

これは、とても私たちの仕事に似ていると思っています。皆さんもそう思いませんか？

守備につくときに、キャッチャーだけが他のチームメイトと逆の方向を見ます。そして、唯一全体を見渡せる位置にいます。外野まで、すべて見える訳です。そうなると、守備全体の方向性を一番正しく把握できるのは、キャッチャーだけなのです。

開発における検証チームも、これと同じではないでしょうか。いや、そうなっていないなら、第三者という立場での検証になっていないのです。そしてキャッチャーは、攻撃側の打者に一番近いところにいるというのも特殊です。

検証チームはそれと似ていて、打者（脅威）の近くにいますが、開発チームとは真逆の方向を向いている訳です。キャッチャーと検証チームは位置づけが大変似ています。

チームである意味

守備とは、文字通り守ること。

守るというと、何かことが起きてから対処するというイメージがありますが、キャッチャーは攻めに転じることもあります。

例えば、ピッチャーの手を離れたボールが手元に来たとき、キャッチャーはランナーを刺すことができます。キャッチャーは他の全員と逆の方向を向いていますから、そういった機転が利きます。外から中を見ている感じ、とでもいいましょうか。

そうすると打者（脅威）に合わせて守備を変更するなど、積極的にリスクを回避することも可能です。

福岡ダイエーホークス元監督の王貞治さんの現役時代、あまりにも打たれる広島カープが王選手のときだけ、フィールドの右半分に6人の野手を集める『王シフト』という守備をしたことがあります。これは王選手のバッティングデータを解析すると、ほとんどの打球がライト方向であったことから、野球では考えられないシフトを取ったのです。

もちろん、これは確率論であって、実際はそれほど効果がありませんでした。何しろ当時の王さんは、子どもの私が見ていても打てないなんて考えられないほど、打つ人でした。また、どんなに頑張ってもホームランボールは取ることはできませんしね。

しかし、守備を変更して打たれても、できるだけリスクを回避するというのは、リスクを理解して、チームの編成やその事後対応を検討するといった、私たちが普段にプロジェクトで行っているリスク管理に他なりません。これもキャッチャーを中心に指示されることが多いのです。

キャッチャーがどんなに仕事をしたくても、まずはピッチャーが投球しなければ始まりません。野球の試合はピッチャーがボールを投げることから始まります。

ソフトウエア検証も同じですね。

開発する人が開発する、協力してくれる、チーム全体で取り組むということがなければ、キャッチャーも私たちも仕事は始まりません。自分にどれだけいろいろな能力があったとしても、チーム全体で取り組まなければ始まりません。

ピッチャーの協力がなければ、キャッチャーだけではどうにもならないということです。そして、そのピッチャーと同時に、グランドで守りについているチームメイトも同じ方向を向かなければ、いい仕事はできません。

全員の顔が見えるのもキャッチャー。私たち、検証を担当する側もそうありたいですね。

受ける仕事の重要性

キャッチャーは大変です。

ピッチャーが全力で魂を込めて投げてくるボールを受けなければなりません。時には、ピッチャーが投球に失敗したボールも受け止めなければなりません。

機会があればキャッチャーの守備をよく見てほしいと思います。

キャッチャーは直訳すると「受ける人」ですよね。そう、そうなのですが、バウンドして砂埃が上がった状態でも球を受ける必要があります。

そして、キャッチャーの後ろには、誰も味方はいません。絶対に球を受け損なって後ろに逃してはいけないのです。そう、絶対に。

ですから、キャッチャーのリスクの取り方は、他の野手のそれとはちょっと異なります。キャッチャーは、最悪、難しいボールは無理に受けようとせず、自分の前にボールがある状態を作ります。ミットで捕球するだけではなく、足でも手でも肩でも胸でもなんでも使って、最悪はボールを止めることができれば、何とかなることを知っているからです。

この考え方は検証と同じではないでしょうか。

できるだけ品質向上の努力をして、もし開発がこれ以上ないくらい手一杯であったり、設計段階で気がついていないような事柄があったりしても、何か違う手段を講じる、そして最悪は最後の砦になるといったことが求められます。体を張ってピッチャーのボールを止めるが如く、リスクを後ろに送らないといった、進んで泥臭いことをすることを求められるということですね。

ピッチャーが投げた球数と同じくらいの球数を、キャッチャーはピッチャーに対して投げています。もちろん、ピッチャーのように全力で投げている訳ではありません。

しかし、ピッチャーへの返球をキャッチャーは何も考えずに行っている訳ではありません。

1試合で100球以上投げるピッチャーの疲労は相当なものです。そこにキャッチャーが適当に返球をしていたら、ピッチャーはその球を捕球するだけで疲労が徐々に溜まり、結局、気遣いがないためにピッチャーの環境を悪くしてしまう訳です。

キャッチャーは、ピッチャーが捕球しやすいところにボールを投げています。ボールを返球するときに、ボールが痛んでいないか、土がついていないかなど、ボールをよく見て、ダメであれば交換してもらいます。

また、キャッチャーはピッチャーが精神的に投げやすいように、大きく構えます。ミットを狙って投げる訳ですから関係ないようですが、実はピッチャーからすると、精神的にはずいぶん違うと聞いたことがあります。

バッターはたった1発のタイムリーやホームランで評価されたり、ピッチャーは三振の取り方や数で評価されたりしますが、キャッチャーは小さな積み上げで、ピッチャーやチームがうまくいくようにすることで、自分ではなく、チームが評価されるような仕事をします。

縁の下の力持ち、裏方、黒子。そんな表現が似合いそうですが、私はそうではないと思います。

チームメイト（プロジェクト、ステークホルダー）は、あなたの活躍をちゃんと評価してくれています。本質を理解してくれる人は、この検証という仕事を評価してくれるでしょう。決して派手に評価されることはありませんが、しかし、なくてはならない、要のような存在なのが、キャッチャーであり、検証チームなのではないでしょうか。

「ボールを受けるだけでいい、テストをしていればいい」

こう考えていては、チームも、品質も、試合もうまくいきません。

地味で大変な役割です。それゆえに、私はこの仕事は大変な決意も必要だと思っています。みんなと違う方向を向く勇気、全員と向き合う決意は並大抵なことではないと思っています。

作業する、そんな話ではないのです。

なかなか評価されない仕事ですが、この、背を向ける勇気を持てば、誇りと自信を持つことができるのではないでしょうか。

ジェームズ・クルークの言葉、『オーケストラを先導しようとする者は聴衆に背を向けねばならない』。

これは重たい言葉ですね。

私は自分で決意して、開発の仕事を辞め、今のソフトウエア検証の仕事を選びました。

同業の皆さん、『優秀なキャッチャーだ』と評価される仕事をしていますか？

思っているだけでは意味がない

「～だと思っていました」

この言葉が出た瞬間に、会話が止まることが多いと思います。この言葉、結局、その人じゃなければ分からない、他人には分からないことを自分よがりに伝えているだけですね。

「昨日さぁ、こんな夢見たんだよ……」

という話と同じではないですか？　こんな夢の世界から外に出ないと、一人前とはいえませんね。子どもが叱られたとき、あれやこれや理由を並べて、親から叱られないようにするのと似ています。

社会に出てから夢の世界から出られない人は、保身しているように見えます。あまりいいことではないですね。であれば「分かっていました」のようなことは、言わないほうが自分の価値を下げないと思います。言い訳に聞こえたり、保身しているように見えたりは、決してプラスに作用するとは思えません。

しかし、こういう人、多いです。

「思っていました」という言葉。いつからですか？という話ですね。最初からですか？　だとしたらタチが悪い。全く意味がない言葉だと思うのですが、いかがでしょうか。

思うのはあなたの自由ですが、「～だと思っていました」という言葉は、私は言わないほうがいいと思います。思っていたのなら、なぜ事前に手を打たなかったのか、と思います。ことが起きてから、あぁやっぱり、というのでは意味がないですね。下手な預言者とでもいいましょうか。そもそも予言でもありません。

しかし、この「思っていました」という言葉は、よく聞きますね。ひょっとして、思っていたということは事前に予見していたかもしれません。であるならば、リスクや課題をどうするかを事前に考えておくことが、大切ではないでしょうか。

起きたら困る、と『思った』のなら、先に何かを考えておく必要がありますね。そういった手を打っていて、「あぁ、思っていたけど起きてしまった」というのは夢の世界ではなくて、現実の世界です。現実に飛びだしていく必要がありますね。

まあ、思わないよりは全然進歩しているとは思いますが、しかし、思っていただけでは始まらない。黙っていても時間が過ぎていくだけです。勿体ない。

本当の『知っている』ということ

知っているというのは、いくつかの段階があると思います。

まず、学生時代は知ることがゴール。自分の中に知識として蓄えられていればゴールです。しかし、社会人は知っているだけではダメです。その知識を使えなくてはいけません。

知識というと、例えば『何かの言語を知っている』、『それを使ってプログラミングができる』などと思いがちですが、自分の仕事に直接関係ない知識であっても、お客様との話のネタになるのであれば、それは十分に知識を使っていることになります。

ですから、なんでもかんでも業務に直結する知識を得て、業務に繋ぐ必要はないのです。自分の趣味の話でもいいですし、今、流行っているものでもいいと思います。

要するに、自分が使えるようになっていればいいのです。

ここを勘違いすると、つらくなります。なんでも深く知らないといけない、覚えないといけないなんて思ってしまったら、脅迫されているかのように、心に負担がかかってしまいます。楽しんで知り、使えるようになる、というのが大切です。知識を何かしらに活かすことができること。まず、これが最低ラインではないでしょうか。ただ覚えていますでは、夢の世界の話と同じですね。

知識とは、覚えることだと思っている人がいますが、社会人としては、それでは足りないと思います。

そして、知識を使うということは、人に教えることができて、初めて生きた知識になるのではないでしょうか。

そうではないと思う人もいらっしゃると思いますが、一番簡単で効果が出やすいのは、自分が、スピードを落として誰かに教えるというのが、自分にいい効果が出るのです。あなたは、本当にそのことを知っていますと言えますか？

知っているということを活かせないと、社会人として評価されません。であるならば、自分は何を知っているかを知る必要があります。それは『経験』かもしれないですし、『できること』かもしれません。たまには、自分の棚卸しも必要です。

なぜか。

それは、実は知っているのに、自分自身がそれに気づいていないことがあるかもしれないからです。気がつかなければ、自分の範囲を狭めてしまいますよね。知っていることを知らないままにしておくのは勿体ないです。

知らないと認める勇気

『知らないことを知っている人』。それを公言できる人。

それには勇気が要ります。でも、これが一番大切ではないでしょうか。

自分は何も知らない。

これは違います。これはやる気がない人の話。とても社会人とは思えません。自分は何を知っていて、知らないことはこんなことと整理できていないのは、恥ずかしいと思わなくてはいけません。それに気がつかない人は、ある意味幸せかもしれません。しかし、成長もない人です。そうはなりたくないですね。

『知っていることを知る』、『知らないことを知る』、どちらも大切だということですね。

しかしよく、全部分からないという人がいます。要するに考えようとしない、思考を止めてしまう言葉が、全部分からない。そして次に出てくる言葉は、仕方がない、頑張っています、です。

これ、全部って何をもって全部なのでしょうか？　全部を書きだしてみませんか？　それがあなたの人生で分からないことの全部なのでしょうか。よく考えると違いますよね。

無意識の中に潜んでいるもの、自分で当たり前と思っているものを人に説明するのは、一旦言語化する必要がありますから難しいことでしょう。

しかし、これは社会でも、会社でもプロジェクトでも、まずは今、ここで、分かっていること、分からないことを、書きだしてみるということが必要だと思います。これ、手で書くんですよ。

手書き情報整理のメリット

私は、皆さんの誰もが、素晴らしい脳を持っていると思っています。

だから、いろんなことが無意識でできるんだと思うのですよ。それも爆速の処理速度。そこら辺のスマホなんて到底敵わないのです。脳のスキルというのは。

しかし、脳が勝手にやっていてくれることを、自分でまた整理し直すというのが言語化なのだと思います。

自分の思ったことを書いてみる。これ、あまりの量の少なさに、あれ？　私って頭からっぽなのかしらって、びっくりすることになります。しかし、落ち着いてキーボードのように高速でアウトプットするツールを使わずに、あえて手間のかかる手書きでアウトプットしてみましょう。

そうすると、だんだんと、なぜ自分は今こう考えているのかということが、言語化されていくのです。

私は昔から、電子手帳を使っています。手書き入力にとても未来を感じたからなのかもしれません。文字を手書きで紙に書くことと、電子手帳に電子ペンで文字を書くことが好きです。

ただ生産性を考えると、手書きは、文字を大量に入力することに向いていません。しかし、じっくり手書きで入力して、それが文字になっていくのがとても格好良く感じて、よく手書きをしていました。

しかしあるとき、これは考えながら整理する機会を脳に与えているんだ、と気がつきました。

今でも、スマホに自分の考えをまとめる、ふわっとしたメモは、手書きを使っています。昔と違うのは紙じゃないところ。

私は今でも、自分の考えを整理する一番の方法は、紙に手書きで書き出すことだと思っています。また、アメリカの研究でも裏付けられたようですが、紙に書き出すことで記憶が定着し易くなったり、自分の思考や感情を客観視できることで新たな気づきを得たりし易くなったりするようです。アウトプットするデバイスとして、紙は極めて優秀だなと思っています。なかなか自分の考えがまとまらない、出てこないという人は、白紙の紙に向かい合ってみましょう。

知らないことを知れ

日々同じことを繰り返して危機感のない人は『知らないことを知らない、知ろうとしない』人です。

人から見て成長していない人。それは、この『知らないことを知らない、知ろうとしない』人なのです。

努力してもなかなか成長しない人。これも『知らないことを知らない、知ろうとしない』人です。

知らないことを知るということは、まず自分がそのように認識しなくてはならず、誰からも教えてもらえません。だからこそ、自分が知らないことを知る必要があります。

しかし、これに気がついて知ろうとするのがかなり難しい。そうです、知らないんですから。

私は、このようなときどうしたか。単純なことの繰り返しを行いました。

これは時間もかかり大変でした。しかし、新人の頃は時間がまだたくさんありました。

当時は無限にあると思っていた時間をじゃぶじゃぶ使って、行動してみる、動いてみる、言葉を動詞にする、ということを繰り返しました。

すごく単純なものとしては、ある仕事の手順を分かっておらず、やってみようと行動して失敗もしましたが、そのとき、気がつきました。自分が知らないポイントを。

考えることも大切、しかし、知ろうとする、ということは、行動も伴わなければ永遠に気がつかないのかもしれません。

あなたの知らないことは、あなたが努力して、気がつかなくては誰も分かりませんね。

それは、あなたの夢の中の話です。そろそろ、夢から覚めましょうか。

ＩＴエンジニアという珍獣

ＩＴエンジニアとは、特殊な生き物だといわれています。

確かにＩＴエンジニアの生態は、普通の会社員とは大きく異なります。いや、一般的といった言葉が当てはまらない世界といえるかもしれません。

そこで、この道40年ほどの私が見たエンジニアはどんな生き物なのかを書いてみたいと思います。

珍獣登場か!?

エンジニアは、常に有効な手段を講じたい。しかし、有効な手段というものは自己満足であることが多いのです。

技術的に面白いこと、革新的だといったことは、エンジニアとしてはやってみたい。

しかし、求められているのは、今、有用な手段です。難しいことをしてしまって、バグが出ましたではやるだけ無駄ですね。有効であっても、有用ではない。この区別がつきません。

エンジニアという生き物は、ストイックな人が多いですね。これは素晴らしいことだと思います。

しかし、いつも100点を求められている訳ではありません。極端な話、バランスがとれていれば、51点ギリギリでも現場は問題ありません。

尖った機能や性能を求めているお客様はごく一部。金額に見合った品質のものが、期日までに欲しいのです。

またよくあるのですが意識せずリスクを後回しにします。リスクは放置していると、どんどん成長します。

これは知らないだけで、わざとやっている訳ではなく、そう考えないだけ、エンジニアの脳にそういうソフトがインストールされていないともいえるでしょう。

皆さんの身近でも、テストで問題を出せばいいと思っている人が多くないでしょうか。

これは、結局は後の工程にリスクを先送りしているだけです。

また、どう考えても今、解決しなくてはいけないことを後に延ばしてしまう。

こんな言葉を言いたくなったことがありませんか？

「もっと早く言ってよ……」

恐ろしいことに、先送りは日常的に行われています。

1日あたり対応できる事柄が10個なのに、10日後には200個対応できる⁇　こんな計画をしてしまいます。普通に考えれば、もう始める前から炎上ですね。

単純に考えて、最初から徹夜や休日出勤を計算に入れているなんて、おかしな話です。

エンジニアが「できます」と言うのは、ほぼ根拠なし。いや、根拠を示すのは難しいはずですが、「できます」と言ってしまうことが問題。

できるというのは、コーディングができですかね？

いやいや、テストはどうするのでしょう？　ちゃんと動くところまでやってできましたとなるはずが、タスクをこなしたら終了と考えがちです。

頑張れば……徹夜すれば……できる人がいれば……解決する？　そんなこと、ほとんど経験したことがありません！

プロジェクトが動きだすとなぜか考えなくなってしまいます。プロジェクトが脳死状態に!?

これをやっておいたほうがいいと思って……と、勝手な判断で余計なことをしているエンジニア。

どうせやるなら美しく！　え？　誰にとって？　エンジニアのためにシステムが構築される訳ではありません。

次は何をやりますか？

もっと全体を考えなくてはいけないのですが、どうしても目の前の問題解決を行ってしまいます。だからこんな言葉が出てしまうのですね。

「よく分からないけど、やれと言われたので……」

本当に必要なのか、なぜ必要なのか考えなくなってしまいます。

「間に合うとは思えません！」

「今さらそんなこと言われても」

手段がいつの間にか目的に……

動き始めると、ブレーキが壊れた車のようになりがちです！

エンジニアには勉強熱心な人が多いです。一方で興味がないことは全く頭に入らない人も多いです。学んだことでも自分がそれを使うという考えに至らない、もしくは、できないだろうと勝手に判断して、学んだことを使ってみようとしない人が多いです。ＰＤＣＡで進めればいいのは分かっていますがＰ（計画）が弱くて、Ｄ（実行）ばかりに目がいくのがＩＴの現場。どうしても作業中心に話を進めます。ですから計画はおざなりになり、作業することで解決したくなってしまいます。

しかし、途中でＣ（評価）をやってＡ（対策）を洗いだして迷わずＤにフィードバックするような人がいないと全然解決しません。Ｄから抜けられないのです。

なぜか。

立ち止まって、振り返ることができない。後戻りができないからです。簡単なことのようですが、プロジェクトが動き始めると、振り返る人はいなくなってしまいます。

問題解決を行うのは、人間力がほとんどだと思います。調整、交渉。人間同士が汗を流して解決することが多いのです。逆に技術が解決することは少ないですね。

技術はどんどん手段化すべし。

技術は手段であるのですが、それがすべてを解決するといった考え方から、なかなか抜けられません。

大切なのは、説明と、相手に理解してもらうこと。これはエンジニアリングではありません。

よく聞かれるのが、『エンジニアの「できました」ほど、浮世離れしているものはない』という話。

きちんとステークホルダー間でコミットメントが取れていなければなりません。

エンジニア上がりのリーダーが最初にはまる落とし穴は、全員がＨａｐｐｙ！チーム全員がHappyになれることは素晴らしいことですが、それをやろうとして無理をすると、誰にとってもいいことはありません。

『全員』ではなくて、『全体』と考える必要があります。この『全体で』と考えることこそが大切なのですが、これを教わる機会がありません。そもそも、それが悲劇かもしれません。

技術と作業を一生懸命に教わり、そしてそれを学びます。だから、考え方を学ばずに方法を学んでしまいます。これを中心にものごとを考えてしまうので、こんなことが起きています。

多くの現場ではうまくいく仕組み作りが必要なのですが、できる人を必要なだけと考えてしまう。

『できるようにする』のではなく、できる人を手配する。

ＩＴはある程度、人依存のところはあります。しかし、これは非常におかしい。それができる仕組みが必要であって、それができる人が必要と考えているうちは、普通の考え方にはなりません。

説明するという感覚もズレていることがあります。よく説明責任という言葉がありますが、この説明責任を果たしていないことが多いと思います。

相手がエンジニアで、技術の話を求められているときは問題ありませんが、大体のお客様は技術の話ではなく、『今、どうなっているのか』を知りたいことのほうが多いのです。

ですから、前述したように「できます」の温度感が全然違ってきます。

技術を2、それ以外を8くらいのバランスで説明しなければ、説明していることにはなりません。

技術先行で考える人が多いので、『世間の見積もりと違う』ことは度々あります。どんなことでも（技術的には）可能だと答える悪い癖が、エンジニアにはあります。逆に（技術的には）無理、と簡単に切り捨ててしまうこともあります。

例えば、「できますか?」と聞かれて、「3日で（コーディングは）できます」と言ってしまう。お客様は3日で動くものが手に入ると思ってしまう、といったボタンの掛け違いが発生します。

できると言って、お客様に後から叱られたことはありませんか？　感覚が世間からずれているから、起きてしまっています。

全く（技術的には）できないと答える悪い癖から、「それは無理です」と簡単に答える。

お客様は、全く方法がないと思ってしまう。

プログラミングで解決しなくてはいけないと思っているので、ある意味では正解を述べてはいるのですが、お客様は別にプログラミングですべてを解決してほしいなんて思っていません。

他にも方法はありますよ！

エンジニアをやっていると一発逆転が起きるんじゃないかと思い始めます。それくらいつらい時期があります。そんなことは『都市伝説級』の話なのですが、真面目に信じている節があります。

3人前くらいの仕事を1人でできるエンジニアがいる。

徹夜は当たり前だ。

バグはゼロになる。

足りない分は、人さえ投入すれば解決！

納期は絶対延びる。

ドキュメントは納品までに間に合えばいい。

技術力が上がる＝給料が上がる。

はっきりいって、こんなことはほとんどありません！　皆さん、都市伝説ですよ！

エンジニアは、エンジニアリング『だけ』を一生懸命に学びます。これは、ある時期には必要なことかもしれません。これはエンジニア本人の中にどんどん蓄積されていくものになります。

しかし実際には、それを伝えるすべを持っていなければ、一般人から見れば不思議な人たちにしかならないのです。

理論をいくら述べても、ビジネスでは空しい結果が待っているだけです。理論は必要ですが、それをうまく使って『論理的』に説明する必要があります。求められているのは、技術、理論ではありません。論理的な説明なのです。

ＩＴはアートと似ています。ですから、普通とはちょっと違う部分もあるのかもしれません。

しかし、やっぱり立ち止まって、今までの常識を疑う必要もありますね。

さて、皆さん、ドキッ！としたことが１つくらいありませんでしたか？

実は、これは全部過去の私です。エンジニアといった仕事に誇りを持って行っていましたが、今、振り返ると赤面の至りです。

私も、「常識だ」、「特殊だからしょうがない」と思っていました、公言していました、行動もしていました、が、そんなことはないと気がついたのです。

悩んでいるエンジニアの皆さん！　いや、悩んでいないエンジニアの皆さんも、これを読んだらちょっと振り返ってみませんか。

新しい、時代のエンジニア像が見えてくるかもしれません。

盲点は一人では見えない

スコトーマとは、ギリシャ語で盲点という意味だそうです。

人と同じことをやっていても、先を行く人には追い付きません。では、人の倍やれば追いつくのかといえば、追いつく人と追いつかない人がいます。

例えばビジネスであれば、大手と同じことをやっていても、なんにもなりません。

では、どうするか。

誰もやっていないことをやる。ということです。

「そりゃ分かっているけど、どうしたらいいの？」

どこかに答えはあるのでしょうか。私はＮｏだと思っています。見つからなくても、誰かに答えを探せば、人が用意してくれた答えがあるかもしれません。見つからなくても、誰かにお願いしたら答えを出してくれるかもしれません。

しかし、その答えは間違っているかもしれないですし、今は正しい答えだとしても、時間が経てば違うことだってある訳です。

「答えを自分が出す」と思っていないと、いつまでも、誰かの答えを欲しくなります。

スコトーマですよ！　盲点を探せということです。これは普段から注意していないと難しい。しかし、今すぐ始めないといつまでもできない。

盲点ですから、言い換えると「あなたが見えないものを教えてください」ということですかね。

そう、自分で探すことも大切。しかし、それを補う『和』。人と人の和があると、その盲点が見つかることがあります。自分では見えない。だから盲点なのかもしれません。

ひょっとすると、一生分からないかもしれない。だから、和を作ることは大切だと思っています。

有り体に言ってしまうと、1人では生きていけないということですね。

自分の盲点を探せ

人は太古に狩りをしていたので、集団を作り、社会を形成しようとします。人に出会いたい、ということが欲求の根底にあるようですね。

そして、自分に合う人を望みます。これも当たり前。

しかし、なかなか自分と合う人だけで、自分のコミュニティを作り上げることは難しいものです。例えば、自分で会社を興したとしても、自分と合う人たちだけで会社を構成することはできません。

そうすると人は、嫌なものをできるだけ避けて、自分が心地いい環境を作ろうとします。ところが、それも時間が経つと合わないことが出てくるため、結局は別れ、また出会うのです。創造と破壊が起きるのですね。

自分と合う、合わないというのは、所詮そのときの話です。それに力を注ぐというのは、実はナンセンスなのです。変に似たタイプが集まってしまったら、新しいものは生まれないのではないでしょうか。そう、盲点に気がつかないでしょう。

それに自分と合わない人や嫌な環境は、自分を成長させてくれます。

いい環境を作ること、作ろうと思うことは大切なことです。しかし、そうはなかなかならないもの。だとすると、それは自分を成長させてくれる環境が構築されたのだと思うといいですね。

『大変だ』と思うことはそれを一度でも克服すると、大変ではなくなるのです。自分の成長には、壁に当たること、そして『その環境をどれだけ経験して成長のきっかけを作ることができるのか』ということが、その人の成長の幅を決めているような気がします。

成長は、盲点にどれだけ気がつけるか、どれだけ早く気がつけるかが大きなポイントでしょう。

盲点は、見えないのですから、分からないですよね。分からないことが分かるということは、大変な努力が必要です。しかし、見えていることだけを見ていては、自分にとっての答えも真実も見えないのではないでしょうか。見えているところがある、ということは見えないところがある。常にそう考えることで、面白いことが頭に浮かんできます。そして、人が考えていることとは別のことを考えて提案する。そうすることで、人の和が新しいことを生みだしていくのではないでしょうか。

それは仕事のことかもしれませんし、遊びのことかもしれません。見えにくいから近づいてみよう。しかし、『強い光に近づけば近づくほど、影が濃くなる』ともいいます。求めれば、近づけば影は濃くなります。今度は何かに近づけば、よく見えるどころか暗くて見えなくなることもあります。自分の『スコトーマ』を探すのは難しいです。

自分のスコトーマを探せ！

第5章

プロとして仕事をする

ルールは守る、壊したら作りなおす

世の中にはルールがあって、それを守ることを子どもの頃から学びます。
しかし、ルールを守らない人もいます。その人曰く、『ルールは壊すものだから』と言います。

壊す人でこの言葉を吐く人は、その言葉自体が他人のものだったりします。『ルールは壊すもの』というのも、他人の言葉。それが格好いいと思っている人もいるようですが、そうですかね？　ルールを守る人を格好悪い、人が作ったものに縛られるのが格好悪いと思っているのかもしれません。

しかし守ることは壊すことより難しいのです。

ルールというものは、多少は我慢することもありますが、社会生活を営む上で、他人に迷惑をかけないためのものです。しかし、これをいきなり否定してしまって、単に壊す『だけ』で、自分の本能の赴くままの人がいますが、それは違うのではないかと思います。

この壊す『だけ』の人は、結局のところなんでも根源が『自分』ですね。自分が嫌だから、自分が面倒くさいから。そんな動機が、壊す『だけ』になってしまうのでしょう。

自分勝手というのは簡単ですが、しかし、壊した後はどうするのでしょうかね。「指示を受けたけど、そんなの意味がないからやらない」なんてびっくりすることを言う人がいますが、これ、問題行動ですよね。

ルールを守る。

もちろん、皆さん守ってください。これは必要です。

しかし、ここまで書いておいてなんですが、このルールは壊さなくてはいけないのです。いや、更にいうと壊す、そして再び作ること。

集めて、検討し、作り上げる。これは大変な作業です。しかし、壊すことは実に簡単。ルールを守ることを、やらなければいいのですから。

ところが、壊した後に作り始めることは容易なことではありません。

世の中のシステムは、たとえどんなに素晴らしいシステム、仕組み、ルールであっても、でき上がった瞬間に劣化が始まります。

これは組織も同じことです。

ただ、この再構築には大変な労力が必要になります。できればやりたくないと思うのも無理はありませんね。

制約の理由と自由

壊すことは、作ることの始まりですが、これ、自分の仕事に当てはめて実行するには、勇気がいります。

社会を見渡すと、概ねフォーマットを欲しがる人が多いようです。確かにフォーマットがあると、楽ですね。役所に行って何か必要な届けを出すときに、穴埋め式のフォーマットなどは、たまにしか役所に行かない私には、とてもありがたいものです。

社内や現場を見渡してみても、フォーマットが作られ、それを使うことで、つつがなく仕事ができます。

しかし、誰かが何かを用意してくれるのを待っていては、一生仕事ができる人になれないのではないでしょうか。フォーマットを欲しがる気持ちがあるのなら、自分で作ってみる、それを考えてみることをしてはどうでしょうか。

フォーマットはルールです。権力といえるかもしれません。それをある考えに沿って自分で作り上げるというのは、まさに破壊して、新たに作ることになりませんか？

白紙を好む人がルールを作れる人です。言い換えると、白紙に意味を見いだすことができる人がルールを作れる人です。

フォーマットがあればすべて明確。確かにそうです。そして、それを使うことで効率も良くなります。楽です。ところが、これではものごとを考えなくなってしまうのではないかと思います。

フォーマットはだんだんと使いやすいものになっていきますが、しかし、これは逆に見ると制約でもあるのです。明確で楽だと思うか、制約だと思うかで、自由な発想ができるか、制約がなければできないのかが分かります。

また、制約というのは窮屈な感じもしますが、元々あるものは理由があって存在します。そこまで考えが至るのか、合理的な判断ができるのかというのも、破壊するときには必要なスキルになるでしょう。

『そこに柵があるとき、それを設置した理由が分からないうちは撤去してはならない』

これが鉄則だと思います。

プロフェッショナルという人種

プロフェッショナルというのは、あるレベルになると自分の方法やプロセスを持っています。そこはフォーマットなどない世界だと思いませんか?

自分でルールを作っていける人がプロフェッショナル。プロフェッショナルだからこそ、お金を頂ける訳です。

プロフェッショナルとは、自分で作ったルールですら破壊し、そして、新たにルールを作ることができるのです。

プロは自分が作ったルールを守ります。しかし、ある時期がくるとそれを破壊する。そのプロセスこそが、プロとしてのレベルを上げていくのだと思います。自分との戦いに勝利する、そんな感じでしょうか。

プロとは、ルールを作れる人だと書きました。

そう、プロは自分自身との契約を結び、それを実直にクリアしていくからこそ、周りからリスペクトされますし、お客様との契約、社会との約束、同僚との約束を果たすことができるのではないでしょうか。

自分との契約が結べない人、契約してもすぐに諦めてしまう人は、プロフェッショナルにはなれません。

プロフェッショナルとは、こだわりがある人ともいえるかもしれません。このこだわりとは、まさにその道の様式美、プロセスなのだと思います。

自分との契約は、心にありますか？

そんなプロフェッショナルのプロセスは、周りには理解できないものがあるかもしれません。全然、科学的ではないかもしれません。

例えば、元メジャーリーガーのイチロー選手は、自分のバット以外は、絶対手にしなかったそうです。他人のバットの質感や重さ、太さ、バランスなどが手に残るのを避けるため、なのだそうです。

これ、私には全然理解できませんし、科学的でもない。ただ、結果を見ると、それは彼のプロフェッショナルな姿勢と彼のルールで意味のあることが分かります。そんなプロフェッショナルのルールやプロセスはまさにプロのこだわりなのかもしれないですね。

結局は、プロフェッショナルとは自分との契約を結び、それを大切にする人ではないかと思いますが、これが実に難しい。

こだわりとプロセスを形だけ真似をしても始まりません。また、それが結果に結びつかなければ、ただのワガママか、プロ気取りでしかないのです。

時には壊し、再構築し、評価して、また壊す。これを自分に対してできるかが肝ではないでしょうか。それができているからこそ結果も出ますし、その様式、ルールを大切にしていけるのだと思います。

内向的な利点

内向的な人というと、おとなしく、あまり社交的ではない人だと思っている人が多いです。私もつい最近までそう思っていました。

しかしこれは、そう見えるというだけで、本来の意味での内向的な人とは、自分の内面に注目して理論的に考える、自分に厳格な人なのだそうです。自分の判断基準を持っていて、人の顔色ばかりを気にするのではなく、きちんと自分で解決できる人ですね。

ところが残念ながら、私たちは本来の意味での内向的な人になるようには、教育を受けていないのです。私も勘違いしていたように、皆さんも勘違いされていたと思います。

内向的。素晴らしいではないですか。まさに自分のルールを作れる人。

子どもの頃から、社会生活を滞りなく送るために、ルールを守ることだけを学びます。しかし、社会ではそれだけではなく、壊し、作ることも求められます。

そもそも、仕事とはそういったものだと思います。作業と仕事は別のもの。そう思います。

『普通は……』と、どうしても思ってしまいますね。私もそうですが、これが罠だと思います。

逆に専門家としての発言として『普通は』というのはすごく価値があって、重たいものです。これを求めている人も多いのではないでしょうか。さじ加減みたいなものを求められるときは『普通』とはすごく重たい言葉になります。

しかしついつい自分の知識や経験だけで『普通』と考えてしまいます。これは専門家と違って、罠にハマっている状態だと思っています。

まずは自分が考えるならどうだろうか、というところから踏み出さなければ。

制約の奴隷と、制約を作り楽しむこと

制約と感じることは、まずはそこから見直さなければなりません。しかし、この制約を楽しむことこそが、本来の仕事です。

プロフェッショナルは、仕事を楽しんでいます。

そもそも、大量の予算とリソースが割り当てられる仕事なんてありません。スポーツと同じでルールのような制約が必ずあります。そう、ビジネスには必ず制約があるのです。

制約に従い、奴隷のように制約に使われるのではなく、その制約を楽しみ、そして、その中で新しいプロセスを作っていく。それから成果を出していくことこそが、本当のプロフェッショナルです。

制約というと堅苦しく感じますよね。しかし、これは発想を変えましょう。制約とは、『ここまでは、大丈夫』という絶対的なラインでもあります。

そう考えると、そこまでは大丈夫。となると、気持ちは楽になるはずです。

少し窮屈ですが、そう難しく考えず、この空間であれば大丈夫、この中は自由と考

えることが自分を制約の奴隷にしないメンタルになることに繋がります。

そして、その制約すら打ち壊し、新しい価値観を生みだしていける人こそ、周りから尊敬を集められる、プロ中のプロです。

生みだす人、常に与えられる人。

どちらにプロの姿を見ますか？

仕事ができるということ

仕事ができるように努力します。頑張ります。一生懸命やります。これは素人の発言。

大体、同じことを数年やって結果が出ない人間が「頑張っています」とは笑止千万です。だからダメですという話ではなくて、なぜ工夫をしないのか。いや、なぜ周りを見ないのでしょうか。

あなたの周りには仕事ができる人がいませんか？

仕事を進めるのはタダではできません。もちろん、そこにいようが、寝てようが、トイレに行っていようが、お金が発生します。

電車に乗る、道路を歩く、上水道を使う、下水道を使う。これらは社会にコストを負担してもらっています。だから、税金も払う訳です。

コストがかかっているとすると、時間で等価交換しているうちは、それは見えてこないものです。仕事が、自分の時間を対価にしているうちは、本来のプロフェッショナリズムからは遠いところにいますね。

仕事というのは本来、成果を評価すべきものです。いた時間が金になる、のだとするなら、そんな会社や国家は早々に潰れてしまいます。

アルバイトなどでいた時間での契約はもちろん存在します。しかし、いる間はちゃんと管理された自分の仕事があり、あくまでもいる間は仕事をするということが前提で考えられたシステムだと思っています。

これは、誰かがあなたの仕事を作ってくれて、あなたの働く時間に見合うようにしてくれているのです。自分が仕事をするために、誰かのコストもかかっているということです。

ですから、もしあなたが「努力します、頑張っています」と思っていて、思ったような成果が出ていないのなら、誰かがあなたを食べさせてくれているということです。

これがなかなか見えてこないと思いますが、しかし、この感覚は持っていないと、将来困ることになります。

プロフェッショナルには努力や頑張りではなく、結果が求められます。

また、この結果という言葉、結構勘違いされています。

「A地点にある箱を、B地点に移動してください」という仕事があったとします。

これを、「箱をA地点からB地点に動かせば、仕事として結果を出したことになる」と理解している人は、仕事ができているとはいえません。ドラッカーのいう予算型組織でない限り、これは通用しないのです。少なくともプロフェッショナルではないですね。

仕事には、お客様がいるものです。お客様の満足がなければ、仕事ではない訳です。

これって、エンターテインメントに例えて考えると分かりやすい。エンターテインメントには受け手がいる訳で、受け手が受け入れなければお金にはならない訳です。結果が出るのも早いです。

しかし私たちの仕事はそうではありませんね。

そう考えると仕事をプロフェッショナルにこなしていける人は、エンターテイナーだといえます。

自分の周りを見てみると分かりますが、仕事ができる人は、人を楽しませることがうまい人だと思います。私の独断と偏見ですが、少なくとも私の周りではそうです。

これは相手の要望を先回りして理解する、という能力が高いともいえるでしょうね。楽しませるには楽しいと思うことはどんなことだろうと考えますし、この仕事をこう進めると嬉しいのではないかと考えることもできるのではないでしょうか。

こうしたら相手が喜ぶだろうか、と思う／想像するところから本来の仕事になるのだと思います。

考え方一つです

ものごとの考える基準が『自分』という人は、一生理解できないでしょう。

仕事ができない人の特徴的なところは、すべて自分中心の考えであること。「無理です」、「できません」って簡単に言う人がそうです。

「〇〇がないから仕方がない。だから、ここまでしかできない」、そんなことは、あなた自身の都合。仕事を依頼している人は、あなたにそう言われてどう思うでしょうか。

契約書に書いていることを実行するのは当たり前です。

本当に「ありがとう」という言葉をもらえるのは、心で掴んだ契約を相手の心に届く形で結果として出した人です。そこに何時間いたか、なんて全く関係ありません。

「そんなこと、私にはできません」

まずはその考えから変えましょう！

限界突破力

仕事をしていると、どうしても困難にぶつかるはずです。

へ？　私は困難を経験したことがない？　それはかわいそうですね。

成長するのはいつか？　それは困難を乗り越えたときです。それがなければ成長スピードは相当遅いものになります。

努力して成長するというのは、コツコツ積み上げていくのも大切ですが、この困難を乗り越えることを経験すると、その階段を何段か飛ばして上がっていけるのです。

そして、これを一度経験した人は、その後、急激に成長します。

積み上げから始まりますが、それが最後まで続くとは限らないのです。

もう限界です……無理です……。まるで世界の終わりのように言う人がいますね。

こういう言葉が出てくるときは、視野が狭くなっているだけで、間違いなく限界はきていないんですよ。限界だと思えるくらい余裕があるということ、と考えてみましょう。

仕事が忙しくなったからとか、やったことがないからとか、自分では理由を説明できていると思っている人がたまにいますが、それはただの言い訳。世界中で自分だけが忙しいんだという顔をして仕事をしている人に多いのですが、それで限界です、なんて大甘な考え方です。

限界です、と言える余裕があると考えて、もう1段上がってみようと考えないと、一体いつできるようになるのでしょうか。

それは自分の部下に対しても、同じ考えで向き合わなければなりません。

「これはあなたにはまだ難しいから」

「それは私がやったほうが早いから」

これは部下の限界を勝手に決めて、その部下の成長の機会を奪っています。

限界という言葉が少しでも頭をよぎったら、それは自分の限界ではなく、現在の自分の能力の限界に過ぎません。

日々能力は変化していきますし、乗り越えることで、能力の限界を数段飛びで上げることができます。そうしないと、また地味に1段ずつ上がっていく方法しかできなくなります。それでは、いつも逃げるだけの人生しか待っていません。

まずは自分を振り返ってみましょう。今できることは突然できた訳ではないはずです。そう考えると、今、目の前の状態を限界かもしれない、と思ったとしても、それは今の話であって、これからできるようになればいいことではないでしょうか。

どうやったら自分でできるだろう。ひょっとすると誰かにお願いするとできることかもしれない、など、どうやったらこれを乗り越えられるのだろうかと考える、自分がと考えない、誰でもいい、限界を超えるためにはどうするべきか、と考えを切り替えることが大切です。

自分の限界が見えているのかもしれません。それは乗り越えていくことで自分のスキルアップに繋がりますが、仕事であれば、自分がすべて解決しなくともいいのです。誰かと一緒にやればできるんじゃないか、など他にも対策は打てます。

限界だ、と思ったとき、思考停止してしまいそうになります。視野がとても狭くなっています。自分の中に閉じこもらず、どうやったらできるんだろうということを第三者として考えてみることが必要です。

お客様から依頼があったとき、「そんな無理な……」とか「できっこない。理想だ」

という感じで、体全体から『無理』のオーラを出す人がいますね。これではお金を頂く、プロの仕事をする資格はありません。

そうです。難しいから、大変だから私たち専門家に相談に来る訳です。ですから、『困難』や『難しい』、『できるのか?』なんていうのは当然でしょう。だから、それは当たり前だと思わなくてはいけません。

難しいことを、簡単そうにやり遂げるのが専門家でありプロです。誰にでもできることを、他人には頼みません。お客様自身ではできないから、仕事として依頼をしてきます。

であるならば、常にそれを難しいと考えるのではなく、当たり前だと受け止められる準備が自分の中に必要です。仕事をしているだけではなく、普段からの鍛錬も必要ですし、情報を集めておくことも大切です。

それに、いつでも大丈夫と思えるだけの知り合いを作っておきコミュニケーションをとっておくことも大切です。

あなたは今、Ready状態といえますか?

自分が依頼したいと思うような仕事を

突然ですが皆さん、自分の仕事に自分だったらお金を払いますか？　もし多少なりとも自信がないのであれば、それはプロフェッショナルとはいえません。お客様から頂くのは、自分の仕事に対する対価です。そう、対価ですよ！　釣り合わない金額を払っていただける訳がありません。お客様という目線がなければ、これに気がつかないのではないでしょうか。

自分がもし仕事を依頼してお金を払う立場になったら、今の自分はいくらになるでしょうか。

以下の事柄を自問してみてください。

1. 自分が行っている仕事の稼ぎは対価といえるか
2. 自分のリスクをお客様に押し付けていないか
3. 自分ができないためにコストを誰かに負担してもらっていないか
4. 自分が頼む側だとしたら、満足するのか

5．次も頼みたいと思うか
6．対価だけではなく、それを上回る満足をお客様に感じていただけているか

対価になっていないという状態なら、話にならない。問題外です。

自分がしっかり対価としてお金を頂いているという状態なら、スタートラインには立っているといえるでしょう。

本物のプロは、対価以上の満足を与えるのです。


「自分はできないから」

「今のメンバーではできないから」

「自信がないから」

「やりたくないから」

これらはどれも思考を止めてしまう言葉です。

どうしても、現場で現状を見ていると「これ以上は無理だ」という思いが頭を上げます。しかし、それを言っていたら何も始まらないです。

「○○ってできますかね？」

「いや〜難しいのでできません」

はい、終了。もし自分が頼んだ側だとしたら、このような答えが返ってきたら次は相談しないでしょう。

「○○ってできますかね？」

「普通にやるのは難しいですが○○○ならできます」

と答えることが大切です。

諦めの言葉が頭をよぎったら、まずは絶対できると思って考え直しましょう。何か出てきます。諦めたら終わるのは、自分の思考だけではありません。お客様が頼ろうと思う気持ちも終わってしまうのです。

「やっぱり難しいからやめます」

「今いるメンバーではできません」

そんなことを言ってしまうのですか？

何かの超有名人でもない限りは、難しい、大変だから、あなたに相談しているのです。難しいとか、無理とか、お願いするほうも分かっています。だから、できませんというゼロ回答をしてしまっては、全く意味がありません。たとえ本当に不可能だとしても、何か考えたのでしょうか。考えることすら諦めてしまったのではないでしょうか。

自分は絶対ゼロ回答しないという気持ちがあれば、何か生みだせるのです。これこそチャンス！　難しいだろうなと思われていること、困難だと思われていること、他所に相談しても断られている、なんてことはすべてチャンスです。

１００％ではなく、前提条件や範囲を絞る、結果に対する条件など、お客様と話し合う余地はたくさんあります。そして、実現可能な状態にし、やり遂げたとき、お客様の信頼は揺るぎないものになっているでしょう。

こんなチャンスはなかなかありませんよ。チャンスと思えないうちは、まだまだですね。

迷う必要なんてどこにもないのではないでしょうか。

やはり、お客様との合意

「合意して、困難を乗り越えたところに、信頼や達成感、自分の成長がある」
「合意することで、お客様と共有ができる」

ゼロ回答をしないということは、こういうことではないでしょうか。できることを頼んできているうちは、実はお客様もどこかあなたのことを信用していないのではないかと思います。

また、できることだけを頼んでくるというのは、あまり期待もしていただいていないのではないでしょうか。

お客様の信頼を掴みたい、お客様と成功を共有したい、と思っているのなら、なんでも相談されるように認めていただく必要があります。

それにはまず、『どうするか』といったところを一つひとつ積み上げて、細かくお客様と合意することが大切ではないでしょうか。そう考えると、ちゃんと合意しながら進めるのが仕事の基本ともいえます。

「お客様は一方的に指示をしてくる」

こんなことになるのは、ちゃんとこちらから考えを伝えておらず、何も合意していなかったからではないでしょうか。無理だと思ったものでも、お客様と一緒に着地点を探して合意すると、無理なものではなくなるのです。

消えものを消さない

お客様との温度感、現場の空気、雰囲気などの共有ができると、本当の意味でお付き合いが始まります。

私はお客様との温度感など、消えゆく儚い大切なものを、消えものと表現しています。そこにいなければ分からず、またそこにいても、自分のセンサーを働かせないと気がつきません。

しかし、この消えものこそ大切。これを共有することが、『心の契約』に繋がると思っています。

これはゼロ回答していてはできないこと。

ましてや、共有できる事柄は消えもの。終わればなくなってしまうのです。

しかし、お互いに乗り越えたところにあるものを自分の心に刻むことができれば、それは消えてなくならないでしょう。

それは一緒に苦楽を共にしていただいたお客様も同じこと。

ライブ感を大切に、そして、この尊い消えものをしっかり心に焼きつけることが成長の鍵です。

仕事で感動したことはありますか？　もしないのであれば、自分の仕事が人を感動させることはありません。

感動を呼ぶ第一歩は、ゼロ回答しないこと。

そして、お客様と『消えもの』を共有することから始まります。

あとがき

表面的なことと、本質的なこと。

これは普段からよく考える鍛錬をしていないと、なかなか切り分けるのは難しいのではないでしょうか。

本質を見極めなければ、とても勿体ないと思います。今、自分が行っていることの本質を理解していなければ、作業をしているのであって、創造的な仕事をしていることにはなりません。

特に経験の浅い皆さん。目の前の作業は、あくまでも作業。

例えば、自分が見えている作業が今後どうなるかを考えたことがありますか？

一生懸命に働くことはいいことだと思います。しかし、時間をただ労働で費やすのはどうでしょうか。

今、行っていることの本質を見極めて、自分がこれをやることで、全体にどのように影響するのか。そこが見えると新しい世界がやってきます。

本質を見極める方法は私も難しいと思っていますが、今回は私の経験から独断と偏見でそれをまとめてみたいと思ったのが、本書を書くきっかけになりました。

私の祖父と父は建築業を起業していました。

今はなき拓銀の支店をいくつか建設した祖父は、すすき野に社員寮を持つほどの会社を経営していました。そして、父も同じく建築業を営んでいました。

12歳の春、私は父に呼ばれて、父の会社が倒産することを告げられます。

父は12歳となればもう大人の扱いをすべし、という考えを持っていましたので、私を1人の大人として認めた上で、これから起こることと、父の決断の話をしてくれたのです。

父は大変厳しく、子ども中心の家庭ではありませんでした。

父は、子どもはそのうち自分の力でやりたいこともできるし、食べたいものも食べられるのだから、最低限の教育と本人が望む進路をできるだけ叶えることが親の仕事だと考えていました。

しかし、父が会社を倒産させたことで、私は大きな決断が必要でした。自分の力で高校へ行くという決断です。

16歳の春、私は集団就職で実家のある北海道旭川から東京に出てきました。

大手のプラント建設工場に勤めていましたので、昼間は溶接、夜は工業高校という生活です。

若い頃に興味を持つ、オートバイや自動車の免許を取るなんて、時間的に全く無理です。自分の生活のための仕事と、学業との両立でとてもそんな時間はありません。その後、大学に通いましたが、卒業することなく、IT関係の仕事を始めます。

若い頃は、現在では考えられないほどの時間働きました。経験が浅くて仕事ができませんから、時間をかけて頑張るしか、自分にできることはなかったからです。

もちろん、時間を使えばいいという訳ではないことを誰よりも理解していたつもりです。昼間に働いて、夜には学校へ通っていた私からすれば、時間ほど愛おしく、貴重なものはありません。しかし、それを使うしかありませんでした。

35歳のとき、サラリーマンとして過ごしていましたが、急に自動車の免許を取らないと、と思い始めます。

なぜそう思ったのかというと、たぶん、これ以上歳を重ねると、きっと好きな自動車の免許は一生取れない、そんな風に感じたからだと思います。

ところが、その当時は管理職で、自由になる時間はありませんでした。

若い頃は時間がないとか、時間が欲しいとか思っていたのですが、そのときは、自分が、自分の時間を作らないと、いつまでたっても時間はできないと気がつきました。

自分の人生の時間は限られている訳ですから、自分で切り開かなければ、いつまでも資格を取ることなどできるはずがないと気がついたのです。

時間は、誰にでも平等に与えられています。この時間をどう使おうが自分の勝手かもしれませんが、勿体ない過ごし方をしているうちは、時間に対する価値観が理解できないでしょう。『平等にある時間を自分が使う』という時間に対する感覚、本質的な『自分の時間』というものが見えてきました。

ある程度の年齢になると、人からものを教わらなくなります。もう人に教わることなんてない、そんな風に考えていた時期がありました。

仕事を行う上で何かを人に教わらなくてはいけないことは、技術的にはほとんどありませんでした。分からないことがあっても、自分で調べて解決できていましたから、自分はもうそんな必要がないと、なんとなく思っていました。

今、考えると、その思い上がりは、自分の成長を止め、視野を狭くし、本質を知ろうという気持ちをなくしていたと思います。

人に教わることはこれからもずっと続きます。自分が行動している間は続くのです。それは部下からかもしれませんし、お客様からかもしれません。

教わるということは、学生のときは一方的に自分が知らないことを誰かに伝えてもらうという、情報の伝達だと思っていました。しかしそれだけではなく、その人の経験を伝えていただく貴重な機会であると気がつくのは、もう少し時が経ってからです。教えてもらえることは、目の前の知識や技術だけではないはずです。また、マニュアルのように伝達することだけではないはずです。誰かの経験を伝えてもらうことこそが、教わることではないでしょうか。

結局、私は免許を取得するため、教習所に通いました。

免許をお持ちの方ですと分かると思いますが、教習所では学科と実地があり、知識と、運転という技術、そして法律に沿った運転方法を教わります。

最初は大変でした。初めてづくしの経験。慣れるまでにとても時間がかかりました。自動車の運転に関しては、たくさんの約束事があります。車線変更、右折、左折、停止など、すべての動作に決まった作法がありますね。初めは真似るだけですが、だんだんその意味を知り、安全のために必要な操作だということを理解し始めます。

その当時、自分が10代の頃を思いだしていました。それは友達がみんな、教習所に通ってとても苦労していたことです。懐かしく思っていましたが、今度は自分の番です。運転とはこんなに難しいのかと思いました。

仮免許を取得してからも同じ。教官が丁寧に教えてくれますが、時間が限られています。その中できちんとできるように教えてくれるのですから、凄いことだと思います。

そして、必死に法律や運転法を覚え、自動車という機械の操作を覚えていったのです。

私が10代で免許を取得していたら、必死に自動車の運転方法を学んだでしょう。試験の対策をしていたはずです。教習所はそんなところだと決め付けていたことでしょう。しかし、ある程度の年齢で免許を取得したことで、運転の本質を教わっているんだということが見えてきました。

教習所ですから、卒業させて免許を取得させることが果たすべき機能です。しかし、それだけではなく、自動車の運転の本質は気遣いである、ということを教わったのだと気がつきました。

車線変更の3秒前にはウィンカーを出す、左折時は巻き込み確認をして、左にあらかじめ寄せるなど、安全という意味でいろいろとテクニックを教えていただきました。よく考えると、これらは周りに対する気遣いですね。これからの自分の行動を周りに分かるようにする行為です。

ある教官が、メリハリのある運転をしていれば、事故は起きないと教えてくれました。

それの意味するところは、まっすぐ走りたいのか、右折したいのか、左折したいのか、または止まりたいのかが周りに伝わると、周りもそのことに準備ができるということです。逆に、意思表示が中途半端だと大変危険であるということです。自動車の運転の本質は周りを気遣うこと。それを自動車の操作を通して教えてくれていたのですね。

免許を取りたいと思うとき、自分で自由に自動車を運転したい、どこかへ自由に行きたい、と自分中心の考えで進めているはずです。そして教習所に通い、学科と実地を教わります。しかし実際には、周りへの気遣いを教えてもらっているのです。

ものごとは本質を掴むことが大切だということは誰でも思っていることですが、それを感じ取るセンサーを敏感にしていなければ、ただただ、目の前の何かを覚えるだけで、結局、本質を感じることはできないはずです。

人と人との間にもありますね。この発言は何が本質なんだろうか、と考えること。そして、その言動から本質を感じることが大切です。

音になった言葉だけで意味を考えてはいけません。ましてや、メールの文章だけで思い込むなんて言語道断だと思います。

仕事をしていれば教えていただくことの連続ですが、目の前のテクニックや知識に目を奪われては、せっかくの本質を見逃してしまいます。それは勿体ない。時には想像力をフル回転させて、何が本質かを考えることが大切です。

今、何も見えていなくても、実は大切なことがある。

それが、ことの本質なのかもしれません。

〈著者紹介〉

岡田篤彦（おかだ あつひこ）

1965年北海道旭川市生まれ。父親の会社の倒産を転機に中卒で上京し、昼は溶接工、夜は高校生という生活を送る。東京理科大学在学中に IT の世界へ。その後大学を中退。金融系ソフトウェアのシステム開発、治療機器の研究開発、ハードウエア開発、インターネットブラウザ開発を経て、その中で一番苦労したソフトウエア品質管理の会社を設立。労働集約的なテスト実施サービスの提供ではなく「品質向上の仕組み作り」をコンセプトに掲げ、業界に認知される企業へ成長させた。現在は、品質ファーストである「品質駆動」をコンセプトにした新たな会社を設立し、急成長させている。

検証屋家業《けんしょうやかぎょう》
IT業界以外《ぎょうかいいがい》の人《ひと》にも聞《き》いてほしい
プロフェッショナル現実論《げんじつろん》

2024年3月19日　第1刷発行

著　者　　岡田篤彦
発行人　　久保田貴幸

発行元　　株式会社 幻冬舎メディアコンサルティング
〒151-0051　東京都渋谷区千駄ヶ谷4-9-7
電話　03-5411-6440（編集）

発売元　　株式会社 幻冬舎
〒151-0051　東京都渋谷区千駄ヶ谷4-9-7
電話　03-5411-6222（営業）

印刷・製本　中央精版印刷株式会社
装　丁　　弓田和則

検印廃止

Printed in Japan
ISBN 978-4-344-69033-2 C0034
幻冬舎メディアコンサルティングＨＰ
https://www.gentosha-mc.com/